公式 日本こままわし協会 BOOK

まるごとこままわし教室

日本こままわし協会

いかだ社

はじめに

こまは楽しい！

　こまは、指でひねったり、手でもんだり、ひもを利用して回転させる、古くから世界中であそばれているおもちゃです。まわし方や形、材質など、さまざまな種類のこまが考案されてきました。

　爆発的なブームにはならないけれど、とぎれることなく受けつがれてきました。理由は、あそび方が単純で手がるにあそぶことができ、ひとりでも、そして友だちとも競いあうことができるからでしょう。とくに日本の投げごまは技がたくさんできて、技の多さは世界一と言えるほどです。今までに200種類以上の技が考えられてきましたが、その多くは子どもたちが生み出したものです。

　こまに限らず、昔あそびのよさは、決まったことをクリアするだけでなく、「考える余地を残している」ことでしょう。みなさんもこの本をヒントに、新しい技やあそび方を生み出してください。

※この本では、右ききの人に向けた説明をしています。
　左ききの人は、説明の左と右を逆にしてやってみましょう。

もくじ

はじめに　こまは楽しい！　……………… 2

日本と世界の投げごま　……………… 6

こまの基本

技に適した日本の投げごま　……… 9
　　こまの体／心棒／ひも

こまの準備　……… 12
　　こぶ（結び目）の作り方／輪っかの作り方
　　ひもの巻き方（右きき用）／持ち方

こまの投げ方　……… 16
　　外投げ／内投げ

ひもを引きぬく　……… 20
　　引きぬくタイミング

おぼえよう！こまの技

初級の技

犬のさんぽ　……… 23

ジャンプ　……… 24

まといれ　……… 26

ひもかけ手のせ　……… 30
　　かつおの一本づり／どじょうすくい

日本一周　……… 34

メリーゴーランド　……… 36

はつもうで　……… 38

お手玉　……… 39

空中手のせ　……… 42
　　ツバメ返し／ヒバリ返し／リフティング／
　　しゅりけんツバメ／えんび返し

中級の技
ちゅうきゅう わざ

スタンダップ	……… 46
つなわたり（右手から左手へ） みぎ て ひだり て	……… 48
もうひとつのつなわたり（左手から右手へ） ひだり て みぎ て	……… 50
背面つなわたり／トンネルつなわたり はいめん	
大車輪 だいしゃりん	……… 52
空中メリーゴーランド くうちゅう	……… 54
フォークボール	……… 56
カメレオン	……… 58
水車まわし（ひものせ） すいしゃ	……… 60
またかけ（ふんどしかつぎ）／こしかけ／	
女またかけ／かたかけ／ゆびかけ／あしかけ／ おんな	
みみかけ（イヤリング）	

上級の技
じょうきゅう わざ

つまみ食い ぐ	……… 67
とうろう（燈籠） とうろう	……… 68
うぐいす	……… 71
へび	……… 72
両手へび／大蛇 りょう て おろ ち	
空中大車輪 くうちゅうだいしゃりん	……… 76
むち	……… 78
鯉の滝登り（エレベーター） こい たきのぼ	……… 80
忍者 にんじゃ	……… 82
うずしお	……… 84
かまいたち	……… 86
くさりがま	……… 88

こまの あそび		
長生き競争	………	93
けんかごま	………	94
こままととりゲーム	………	96
こま迷路	………	98
こま鬼ごっこ	………	100

手づくり こま		
テープごま	………	110
CDごま	………	112
いろいろな形のこま	………	114
マクスウェルのこま	………	116
こまの保管	………	118
オリジナルベーごまをつくろう	………	119

こま博士への道

歴史編

こまのはじまりはいつかな？	29
日本最古のこまはどんなもの？①	33
日本最古のこまはどんなもの？②	41
日本独特のこま	83
ベーごまとベイブレード	91

科学編

1.こまはなぜ倒れないの？	102
2.よくまわるこまって、 どんなこま？	105

「日本こままわし協会」紹介	…………………	120
めざせ！こままわしの達人	…………………	121
日本独楽博物館に行ってみよう	…………………	123

日本こままわし協会のウェブサイトで、
技の動画を見ることができます。

ホームページ　http://yantya.yokochou.com/

日本と世界の投げごま

ひもを巻いて投げてまわすこまは、回転力があり、迫力があります。
いろいろな技やバトルができるので世界中であそばれています。
その一部を紹介しましょう。

日本の投げごま

投げごま　日本の代表的な投げごまです。

大山ごま

木ごま（白木）

缶ごま

鉄ごま

べーごま

6

九州けんかごま

心棒の形もいろいろで、鋭く工夫されています。相手にぶつけて割ってしまう勇壮なこまです。大きく分けて、博多系・熊本系・長崎系があります。

博多系

熊本系

長崎系

ずぐりごま

雪の上でもまわる工夫がしてあります。

鉄輪ごま

鉄の重さで回転力が増し、バトルに強いこま。

ずぐり

けしごま

厚輪ごま

三重ずぐり

三つ目ごま

7

世界の投げごま

たて長で、相手に直接当てるこまが多いのが特徴です。

【マレーシア】
世界一長くまわる
（約２時間）。
直径24cm

【ミンダナオ諸島】
あそびだけでなく狩猟用に
も使われる。直径13.5cm、
高さ22cm

【ポルトガル】
ひもを収納できる

【コロンビア】
人の形をしている

【アメリカ】
穴があいていて音が出る

【シシリー島】
するどい心棒

こまの基本

技に適した日本の投げごま

日本の投げごまは胴体が扁平で、上下に心棒が通っていて、足が長いのが特徴です。この形が、技をするのにとても適しています。

こまの体

技をするには、ブレの少ないこまの方がやりやすいので、木製よりもプラスチック製のこまを選んだ方がよいでしょう。

木製のこまは年輪があるために、ブレるこまに当たることが多いです。昔は職人さんが一つひとつバランスを見ながら手作りしていましたが、今のこまは大量生産で作られているので、本当にブレのないバランスのいいこまに当たることはまれです。その点、プラ製のこまは重さが平均で、ブレが少なく技がやりやすいのです。

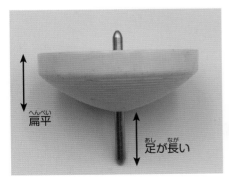

扁平

足が長い

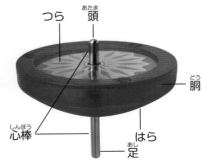

それぞれの部分のなまえ

つら　頭

心棒

胴

はら

足

心棒

心棒には木製と鉄製があります。

木製の心棒は、接地面との摩擦が大きいため回転する時間が短く、特に手のひらの上では長くまわりません。何度もあそぶうちにすり切れて、先が平らになってしまうこともあります。

鉄製の心棒は、接地面との摩擦が少ないので、手のひらの上でもよくまわります。すり切れて平らになることもありません。技に向いているのは鉄製の心棒だといえます。

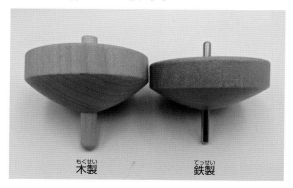

木製　　　　鉄製

初心者が技をしやすいこま

- 直径6cmくらい
- プラスチック製
- 鉄製の心棒
- ひもは太さ4mm、長さ140cmくらい

日本こままわし協会認定のこま

はじめてこままわしをする人も使いやすく、よくまわる。

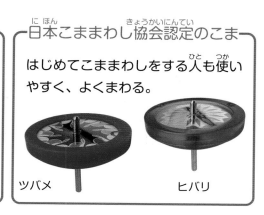

ツバメ　　　　ヒバリ

ひも

ひもは大きく分けると、より
ひもと丸ひもがあります。
こまの大きさに合った太さ、
長さのひもを選びましょう。
ひもを巻いたとき、こまのは
らが全部かくれるくらいの長
さがちょうどよい長さです。
直径約6cmのこまの場合、

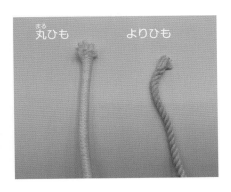

丸ひも　　　よりひも

4mmの太さのひもを使うと長さは140cmくらいがめやすです。
技によって、ひもの長さや太さを変える工夫をしてもよいでしょう。

よりひもは、反時計まわりに巻くと、よりがもどりやすくなって、
ひもがだめになることがあります。よりひもで反時計まわりに巻く
場合は、よりがもどらないようにていねいに巻くように心がけまし
ょう。（とくに心棒の近く）
反時計まわりに巻く人（左ききの人など）は、丸ひもを使うとひも
が長持ちしますが、やりにくい技、できない技がでてきます。
ボロボロになったひもはケガにつながることもあるので、早めに交
換しましょう。

よりがもどって、
ほどけてしまった
ひも

こまの準備

■こぶ（結び目）の作り方

ひもの両はしにこぶ（結び目）を作りましょう。はしを結んでおかないと、よりがもどってひもがバラバラになり、使えなくなってしまいます。

●とめ結び

太いひも（直径4mm）はこれでOK

●8の字結び

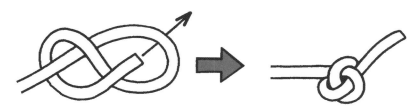

ひもが細い場合は、とめ結びだとこぶが小さいので、
8の字結びで大きなこぶを作ります

こまの基本

輪っかの作り方

こぶを使ってひもを巻けない初心
者は、ひもの片方に輪っかを作る
とよいでしょう。輪っかは大きい
ほどよいですが、結び目がこまの
外側に出ないようにします。

① 先端から10cmくらいのと
ころを右にひねって輪を作る。

約10cm

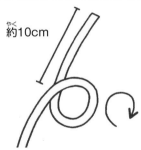

② 図のように輪の中
へ上から通す。

③ ★のところの輪の大きさと先端の
長さをととのえながら、結び目をか
たくしめる。

結び目

結び目をつまむように
して、ひもの長い方を
引っぱっていこう

輪っかのサイズ

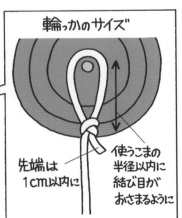

先端は
1cm以内に

使うこまの
半径以内に
結び目が
おさまるように

ひもの巻き方（右きき用）

左ききの人は左右逆にしてやってみましょう
②では反時計まわりに巻きます（左巻き）

ひもの巻きがゆるいと、こまはうまくまわりません。
ひもはしっかりと巻けるように練習しましょう。

① こぶをこまのはしでおさえる。心棒の頭に1回巻き、こぶが頭で止まるまでひもを引く。

むずかしい
人は輪っか
を使おう

② ひもを引いたままこまをうらがえし、足の向こうにかける。

時計まわりに
（右巻き）

③ 足の根元から先に向かって2〜3回巻き、
つぎに根元の方にもどりながら巻く。

根元は、かたく
引きしぼる！

こまの基本

14

④　こまのはらにそって、ひ
　もがたるまないようにかる
　く引っぱりながら巻く。

★ひもを長く持つと巻きにくいので、
ひもは短く持って巻こう。足りなくな
ったら、手の中から「しゅるん」とす
べらせて使うぶんをのばそう。

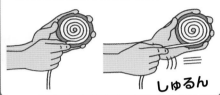

しゅるん

持ち方

① 薬指と小指の間
　にひもをはさみ、
　ひものはしまで手
　を下げる。

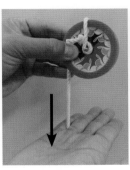

指の間にこぶが当たる
まで下げよう

② 中指と薬指で
　ひもをにぎる。

残ったひもをこまに巻
きながら手に近づける

③ 親指はつら、人さ
　し指は胴、中指はは
　らに当てて持つ。

こまの投げ方

こまは、巻いたひもがほどけていくことで回転します。足（心棒）から着地すれば、こまは勝手にまわるのです。まずは外投げのフォームをしっかりおぼえて、最初はかるく投げてみましょう。

外投げ

① かまえ

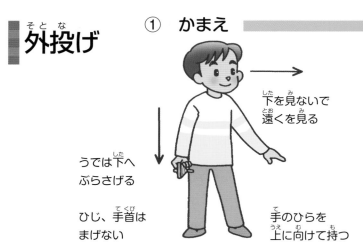

下を見ないで
遠くを見る

うでは下へ
ぶらさげる

ひじ、手首は
まげない

手のひらを
上に向けて持つ

つらを上にして投げると、こまがたおれてしまうよ。（つらは上を向いていなくてよい）

悪い投げ方

横投げ

わきが
開いている

こまの基本

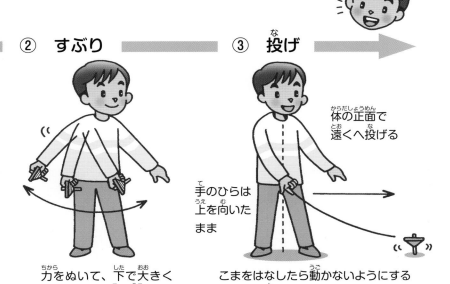

「こまをまわそう」と
いうより、「まわってね」と
送りだしてあげる気持ちで
投げよう。

② **すぶり**

③ **投げ**

体の正面で
遠くへ投げる

手のひらは
上を向いた
まま

力をぬいて、下で大きく
ぶらぶらふり子の動き

こまをはなしたら動かないようにする
ピタッと止めるくらいでもよい

上投げ

ひじが
まがっている

近くに着地すると
ひもがゆるんで、
こまはうまく
回転できなくなるよ。

内投げ

外投げをおぼえたら、「内投げ」という投げ方もおぼえましょう。
ひもを巻く方向が外投げとは逆になります。

① かまえ　　　　　　② すぶり

下を見ない

手のひらを
下に向ける

少し
腰を落とす

ひじから先を
動かす
（手首はまげない）

うでをのばして遠くで
かまえる

おへその前と①でかまえた
ところを水平に

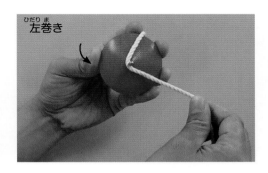

左巻き

右ききの人は反時計まわり
（左巻き）に巻く
左ききの人は時計まわり
（右巻き）に巻こう

③　投げ

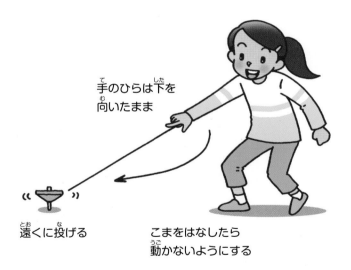

手のひらは下を
向いたまま

遠くに投げる

こまをはなしたら
動かないようにする

●内投げは、よりひものよりがもどってほどけやすいよ。バラバラにならないように、投げたあとはよりをもどすようにしよう。

19

ひもを引きぬく

こまを投げてひもがほどけきる前に、いきおいよくひもを「引きぬく」ことで、より回転をつけたり、技につなげたりすることができます。初心者は引きぬくタイミングがつかめず、せっかくまわったこまを倒してしまうこともあります。最初はひもを引かずに投げっぱなしにすることを意識したほうがよいでしょう。慣れてきたら、タイミングを探りながらひもを引きぬく練習をしましょう。

引きぬくタイミング

少しだけひもが残っている状態
(一瞬でひもが引きぬける状態)

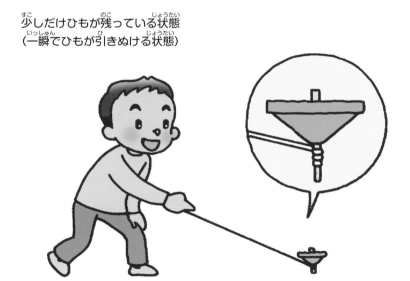

！ ポイント

●こまに残った数センチのひもを引きぬくだけでよいので、うでを大きく引くことはない。「投げて・引く」というよりは、投げた先で「トン」とはねかえるイメージでやるとうまくいきやすい。

✕ 2つの動き　　〇 1つの動きに意識を集中！

おそるおそるやらず、思いきってやろう！

ためしてみよう

Let's try!

★引きぬくタイミングでこまの動きが変わるよ。
いろいろためしておぼえよう。

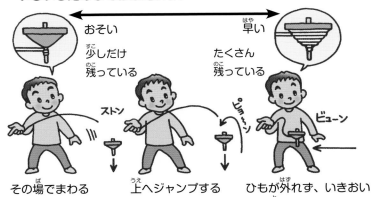

おそい　　　　　　　　早い
少しだけ　　　　　　　たくさん
残っている　　　　　　残っている

ストン　　　　ピョーン　　　　ビューン

その場でまわる　　上へジャンプする　　ひもが外れず、いきおいよく飛んでくる

おぼえよう！ こまの技（わざ）

初級（しょきゅう）の技（わざ）
中級（ちゅうきゅう）の技（わざ）

　こまのかっこいい技やショーなどを見て、自分もやってみたい、と思うことはすてきなことです。でも、初めての人がいきなりむずかしい技をやるのは、うまくできないだけでなく、思わぬ危険につながることがあります。

　ここからは、こまの初級〜中級の技を紹介します。こまをじょうずにあつかえるようになると、こまがもっと楽しくなります。

　最初はだれもが初心者です。あせらずにひとつずつ、楽しみながら技に挑戦していきましょう。

技をするときに注意したいこと

●まわりの人や物に気をつけて練習しよう。人のいるほうに投げないこと。近くにガラスなどがないか注意しよう。

●いきなりむずかしい技に挑戦せずに、基礎の技をくりかえし練習しよう。それが上達への近道だよ。

●板などを用意しておくといいよ。床を傷つけないし、外で練習するときにも役に立つよ。

●こまを床に置きっぱなしにしないこと。ふんでしまうとあぶないし、こまがこわれてしまうよ。練習やあそびの後はきちんと片づけよう。

●リラックスしてやろう。体に力が入っていると動きが固くなって、うまくいかないよ。

●できない技があったら、むりに続けずに休けいしよう。やみくもにくりかえすだけでなく、なにが原因で失敗しているのか、考えることも大切だよ。

22

犬のさんぽ

こまにひもをかけて、地面を移動させる技です。
こまを犬に見立てて名前をつけてもいいですね。
なかよくおさんぽすると楽しいし、愛着がわきます。

見て練習しよう　ひもを引きぬく（p20）

応用技・あそび　ひもかけ手のせ（p30）　日本一周（p34）
　　　　　　　　メリーゴーランド（p36）

① こまを地面でまわしたら、
　 ひもの両はしを持つ。

② こまの足に、ひもを向こう側
　 からかける。

ひもはかけるだけ。
巻くとしめつけてしまい、
こまが止まってしまうよ。

③ ひもの両はしをたばねて片手で持ち、
　 ゆっくり引いてこまを移動させる。

何メートル歩けるか、
友だちと競争してみよう。

初級の技

ジャンプ

ひもでこまをはじき飛ばす技です。上にはじいてまとに入れたり、階段をのぼったり。いきおいよく飛ばして相手のこまにぶつける「こまバトル」で、みんなであそぶこともできます。

① こまをまわしたら、20 ～ 30cmくらいの
長さで両手でひもを持つ。

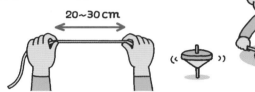

20～30 cm

② 手前から、ひもを少したるませて足にかける。

ひもは少し地面からはなす

ジャンプのあそび

ボーリング

けんかごま (p94)

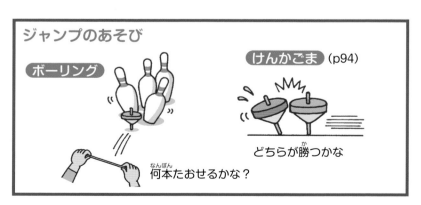

何本たおせるかな？

どちらが勝つかな

初級の技

見て練習しよう

ひもを引きぬく（p20）

応用技・あそび

けんかごま（p94）　こま迷路（p98）

③　ひもでこまを押しながらピンとはると、
　　こまが向こうへ飛ぶ。

●③のとき、ひもを押す方向を変えると、
　　こまが飛ぶ高さが変わるよ。

いろいろためして
みよう

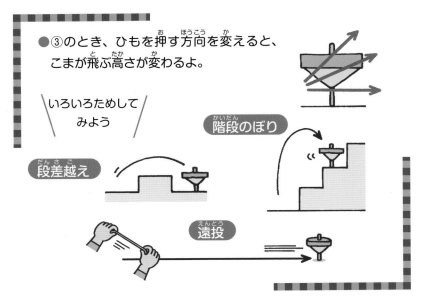

階段のぼり

段差越え

遠投

まといれ

こまをまとに直接投げ入れる技です。ねらったところに投げられるようになると、いろいろと応用がききます。

① はじめは大きめのまとでやってみる。

ちょうどよいところで手をピタッと止めるようにするとよい

ストン

ひもの長さ

ひもの長さぶん、はなれて投げよう

● コントロールをよくするには、たくさん投げて練習あるのみ！

② なれてきたら、まとをだんだん小さくしていく。

● ひもの引きぬき（p20）がじょうずにできると、まとの近くでの微調整ができるようになるよ

いろんな形や大きさがあるといいね

初級の技

見て練習しよう
ひもを引きぬく（p20）

応用技・あそび

こままととりゲーム（p96）
こま迷路（p98）

まといれのあそび

① 板などにいろいろな大きさの円を
かき、まとに点数をつける。

② 交代で投げ、何点とれるかで勝負！

むずかしいまとは
高得点！

	1	2	3	4	5	6	7
A	10	10	10	0	0	20	
B	50	0	0	20	10	10	

まといれのまと

身近にあるものをそのまま利用したり、自分で作ったりしましょう。いろいろ工夫するともっと楽しめます。

身近なものを使って

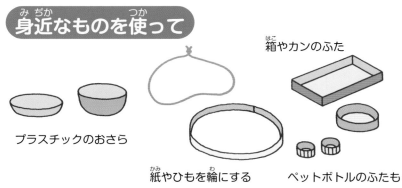

プラスチックのおさら

紙やひもを輪にする

箱やカンのふた

ペットボトルのふたも

手作りして

板に固定すると、まとがあっちこっち動かないよ！

洗面器のうらなどもおもしろい

10
20
30
○

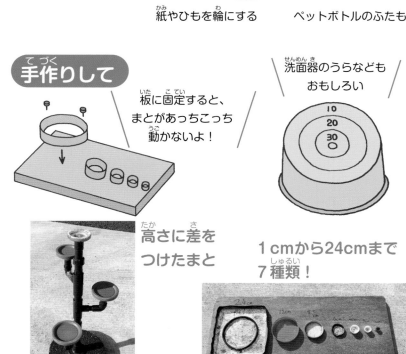

高さに差をつけたまと

1cmから24cmまで7種類！

こまのはじまりは
いつかな？

木の実などの自然物でつくられたこまが遺跡から発見されていることを考えると、何千年も前から人々の間で親しまれ、あそばれていたのでしょう。

こまの起源がいつなのか？　はっきりと書かれた文献はありません。

現在、残っているもっとも古いこまは、エジプトで発掘された「たたきごま」で紀元前１４００年〜２０００年頃のものだといわれています。たたきごまの場合はけずって形を整えていくという作業が必要です。おそらくそれ以前は、左右対称の自然物、たとえばどんぐりやくるみの実、貝やヒトデなどに枝などをさしてつくっていたのではないかと想像できます。まわし方も、単純なひねりごまや手もみごまだったのではないかと考えられます。

また、200年ほど前のアラスカの石のこまや瓦の切れはしをこすってつくった沖縄のこまなども発見されています。

このように考えてみると、もっと以前に（極端ないい方をすれば、人類の生活がはじまった時点から）自然発生的に、世界各地で考え出されたものと考えるのが、もっとも自然ではないのでしょうか。

木の実のこま

ラスカの石のこま

エジプトで発見された最古のこまは、木をけずってつくった「たたきごま」という種類のこまです。

トデのこま

沖縄の瓦ごま

インドネシアの
竹鳴のこま

カリマンタン島のこま

ひもかけ手のせ

まわっているこまにひもをかけ、引き上げて手のひらにのせて
まわす技です。ひもを引くときと空中で受けとるときの、
ひざの使い方がポイントです。

① こまをまわしたら、
　ひもの両はしを持つ。

② 向こう側からこまの足にひも
　をかけ、こまの足に1回巻く。

③ ひものはしを片手でたば
　ねて持つ。

ひもは
たるませておく

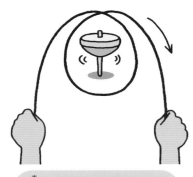

巻いたら、ひもをゆっくり
引いて輪を小さくする

初級の技

| 見て練習しよう | ひもを引きぬく（p20） |
| 応用技・あそび | 空中手のせ（p42）
こま鬼ごっこ（p100） |

④ ひもを引き、かるく上にはねあげる。

ひざのクッションも
使って、やわらかく
はねあげよう

まっすぐはねあげるには、
一度かるく手を下げて
から上に引くとよい

⑤ 落ちてくるこまをやさしく受けとる。

手に乗ったら
じっとする

手のひらは平らに、
力をぬいて

プニプニ

指はのばす

手のひらがかたいと、
こまがすべって
にげていくよ

受けるときもひざの
クッションを使おう

初級の技

31

いろいろな「手のせ」

初級の技

レベル

1	2	3	4	5	6	7	8
■							

かつおの一本づり

① こまの足に1回ひもを巻いたら、片方のひもをはなす。

② ひもを引いて輪を小さくする。

③ 1本のひもではねあげて、手のひらにのせる。

レベル

1	2	3	4	5	6	7	8
	■						

どじょうすくい

指の間にこまの足を入れ、上にはねあげて手のひらにのせる。

長くこまにふれていると回転が弱くなる。一瞬ではねあげよう

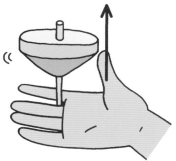

32

日本最古のこまは
どんなもの？①

日本にこまが伝わってきたのは、平安時代に中国からといわれています。
日本に入ってきたこまはどのように人々の間に広まったのでしょうか？

　日本最古のこまは、7〜8世紀に藤原宮跡から発見された「たたきごま」といわれていますが、古い文献には「こま」という言葉は出てきても、どんな「こま」なのか書かれていません。

　形が描かれているのは、平安時代後期に出された歴史物語『大鏡』が最初でした。その書には、

　　後一条天皇が幼少の頃、「おもしろいおもちゃを持ってきて」と頼
　　み、家来たちは金銀などで飾られた豪華なおもちゃを差し出しました
　　が、興味を示しませんでした。そこで、藤原行成という人が紫の緒の
　　ついたこまをまわしはじめました。広い廊下を音をたてて走りまわる
　　ようすを見て、とても喜ばれ、これくばかりで遊んでいた。

と書かれています。この記述のこまが「唐ごま」と呼ばれています。
　文献には出てきませんが、おそらく太古の時代から自然物でつくった「ひねりごま」や「手まわしごま」、「たたきごま」であそばれていたと思います。
　文献では『太平記』で、数人の子どもがこままわしに夢中になっているようすが描かれており、鎌倉時代にはかなり盛んにあそばれていたようです。
　こまあそびが一番花開いたのは元禄時代でしょう。文献ではこまの胴部分を六面あるいは八面にけずってつくった賭博用の「お花ごま・八方ごま（独楽博分類上、角ごま）」と呼ばれるこまが酒席で使われていました。
　また、まわっている間は踊り続けるという道具に使われた
穴空き銭でつくった「銭ごま」などのこまが考案され、
貝ごま（後のべーごま）や投げごま、鉄胴ごまも
考案されました。

日本一周
にほんいっしゅう

かたむいたこまにひもをかけ、こまといっしょに体ごと
からだ
ぐるりとひとまわりする技です。遠心力で持ち上げるので、
わざ　　　　　えんしんりょく　も　あ
こまの重さを感じながらまわりましょう。
おも　　かん

① こまをまわしたら、ひもの
りょう　も
両はしを持つ。

② こまの足に、ひもを
あし
向こう側からかける。
む　がわ

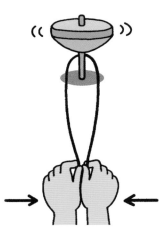

両手をよせて、
りょうて
ひもをそろえておく

初級の技
しょきゅう

見て練習しよう ひもを引きぬく（p20）

応用技・あそび メリーゴーランド（p36）

③ こまをかるく上に引き上げながら、
　ゆっくり体ごと左まわりにまわる。

むりやりふりまわすと、
こまはひもからぬけて
飛んでいってしまうよ

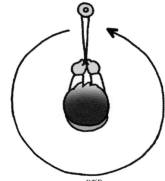

ゆっくり左まわり

こまがななめにまわっ
ていると、ひもにかけ
やすい。

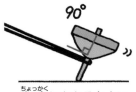

90°

直角にかかるとよい

メリーゴーランド

こまにひもをかけて手もとで小さくまわす技です。
本物のメリーゴーランドのようにぐるぐるいっぱいまわると
楽しいですよ。何周できるかな。

① こまをまわしたら、ひもの
両はしを持つ。

② 向こう側からこまの足にひもを
かける。ひもをたばねて片手で短
く持つ。

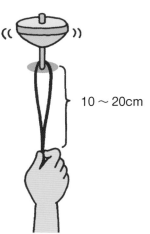

10 〜 20cm

初級の技

| 見て練習しよう | ひもを引きぬく（p20） |
| 応用技・あそび | 犬のさんぽ（p23）
日本一周（p34） |

③　こまをかるく引き上げながら、すばや
く左まわりに手もとでふりまわす。

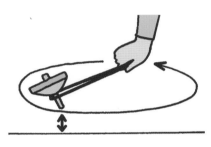

何回まわせるか
チャレンジ！

くるくるくる

④　さいごは地面に着地させる。

はねあげて手に
乗せてもいいよ

初級の技

37

はつもうで

手に乗せたこまを投げ上げ、手に落ちてくるまでの間に2回手をたたく技です。本当のお参りのように、おじぎと組み合わせてできたらすごいね！

見て練習しよう　ひもを引きぬく（p20）ひもかけ手のせ（p30）
空中手のせ（p42）

応用技・あそび　お手玉（p39）

初級の技

① まわっているこまを手のひらに乗せる。

なるべく回転が強いまま乗せられるように練習しよう

② こまをまっすぐ上に投げ上げ、落ちる前に手を2回たたく。

こまから目をはなさない

ぱん　ぱん

8回できると「お伊勢参り」！

何回手をたたけるかやってみよう

落ちてくるこまでけがをしないように気をつけよう

ぱんぱんぱんぱんぱんぱんぱんぱん

お手玉

手に乗せたこまを、お手玉のように左右の手に投げわたす技です。こまを受けとるときのショックの吸収のしかたは、ほかの技をするときにも生きてきます。

見て練習しよう　ひもを引きぬく（p20）ひもかけ手のせ（p30）
　　　　　　　　空中手のせ（p42）

応用技・あそび　はつもうで（p38）

① まわっているこま
　を手のひらに乗せる。

② こまを投げ上げ、反対の
　手で受けとる。

②をくりかえして、
右手と左手を行ったり
来たりさせよう

初級の技

お手玉チャレンジ

足の下を通して
とれるかな

何回できるかな
やってみよう

背中を通してとれるかな

投げて受けとるコツ

●こまを投げ上げて受けとるには、手だけ
でやらず、体全体、ひざのクッションを
使うとよい。

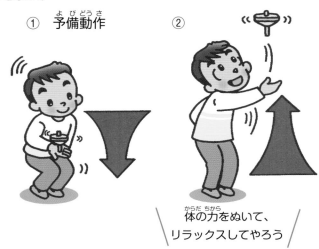

① 予備動作

②

体の力をぬいて、
リラックスしてやろう

③ 手の上ではずまないように

こまのスピードに
合わせてひざをまげる

●この動きはいろいろな技で必要なテクニックなので、
たくさん練習しよう。

日本最古のこまは どんなもの？②

貝ごま

自然物でつくられた代表的なこまで、べーごまの元になった。（江戸末期）

神代ごま

『大鏡』に書かれているものと同じ形のこまで、吉凶の占いにも使われた。

西尾の六角ごま

主に大人のためのこまで、さいころの代わりにも使われた。

こまを楽しむ人々が描かれた浮世絵
（日本独楽博物館所蔵）

銭ごま

重みがあるため比較的長くまわるこま。（昭和初期）

空中手のせ
（くうちゅうて）

ワンランク上をめざすための
基本技（きほんわざ）

こまを地面（じめん）でまわすことなく、直接手（ちょくせつて）の上（うえ）でまわす技（わざ）です。みんながやりたくなるあこがれの技。これができると、技（わざ）のはばがぐっと広（ひろ）がります。**中級・上級（ちゅうきゅうじょうきゅう）のほとんどの技（わざ）の基本（きほん）になるので、たくさん練習（れんしゅう）しましょう。**

① 地面（じめん）でまわすときと同（おな）じように、こまを投（な）げる。

② ひもがほどけきる直前（ちょくぜん）、ひもをすばやく引（ひ）きぬく。

「シュパッ」とすばやく、
思（おも）いきって引（ひ）きぬくと
うまくいくよ！

見て練習しよう　ひもを引きぬく（p20）
　　　　　　　　　ひもかけ手のせ（p30）

応用技・あそび　お手玉（p39）など

③　飛んできたこまを
　手のひらで受け、
　まわす。

**❗大事なのは、ひもを「引きぬく」
　タイミング！**

●タイミングよくひもが引きぬけると、
　こまは勝手に上へ山なりに返ってくる。
　「手のひらをねらってまわそう」とか
　「上に投げよう」「上に返ってくるよう
　上に引っぱろう」と思うとうまくいか
　ない。

NG

初級の技

いろいろな「空中手のせ」

「空中手のせ」とは、投げたこまを直接手のひらで受けてまわす技をまとめた呼び方です。投げ方や受け方によっていろいろな名前がついています。

レベル
1 2 3 4 5 6 7 8

ツバメ返し

投げた手で受け、まわす。

レベル
1 2 3 4 5 6 7 8

ヒバリ返し

投げた手と反対の手で受け、まわす。

レベル
1 2 3 4 5 6 7 8

リフティング

ももで
リフティング。

レベル
1 2 3 4 5 6 7 8

しゅりけんツバメ

しゅりけん投げ（内投げ）で
ツバメ返し。

むずかしい

レベル
1 2 3 4 5 6 7 8

えんび返し

背中側でツバメ返し。

むずかしい

！ ポイント

● こまの回転をより強く

こまの持久力（回転の強さ）があればあるほど、いろいろな技がやりやすくなるよ。（技によっては、回転が弱いとまったくできない）

こまの回転を強くするには、「すばやく投げ、すばやく引きぬく」こと。野球やドッヂボールで速い球を投げるのと同じように、こまをより速いスピードで送り出せるように、くりかえし練習しよう。こまだけでなく、ボール投げであそぶのも大事！

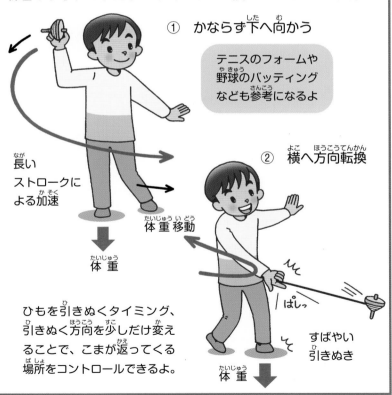

① かならず下へ向かう

テニスのフォームや野球のバッティングなども参考になるよ

長いストロークによる加速

体重移動

② 横へ方向転換

体重

ぱしっ

すばやい引きぬき

ひもを引きぬくタイミング、引きぬく方向を少しだけ変えることで、こまが返ってくる場所をコントロールできるよ。

体重

初級の技

スタンダップ

手のひらに乗せたこまを、まっすぐ立てたり、ななめに倒したり、こまのかたむきをコントロールする技。いろいろな技で必要になるテクニックなので、少しずつでも練習しましょう。

1. こまをななめに手に乗せる

ツバメ返しをするときに、上から下へななめに投げる。

ななめに手に乗せるには、手のひらの力をぬき、少しすぼめ、こまの足を手のしわに引っかけるようにする。

あとは、こまの胴体にさわらないように、手をかたむけてよける。

中級の技

46

2. こまの立て方、倒し方

立て方

「自分から見た図」の状態から

左（はら側）へ押すと、立ち上がる　　右（つら側）へ押すと、倒れる

押す　　　　　　　　　　押す

自分から見た図

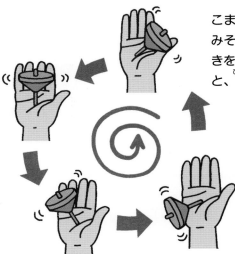

こまは「首ふり運動（歳差運動、みそすり運動）」で左まわりに向きを変えていくので、上から見ると、左まわりのうずまきを描く。

●こまのかたむきが大きいときは、手で大きな円を描き、

●かたむきが小さくなるにつれて、円を小さくする

これをまっすぐこまが立つまで続けよう。

倒し方

まっすぐなこまを倒すには、どの方向でもよいので、急に手を大きくかたむけてやると、こまはバランスをくずしてかたむく。

つなわたり（右手から左手へ）

両手の間にひもを張り、手のひらに乗せたこまを
反対の手に移動させる技。
こまの技の中でも、みんながあこがれる有名な技です。

中級の技

① 「ツバメ返し」で右手にこまを乗せたら、右手の親指と左手の親指でひもをはさみ、両手の間に "つな" をわたす。

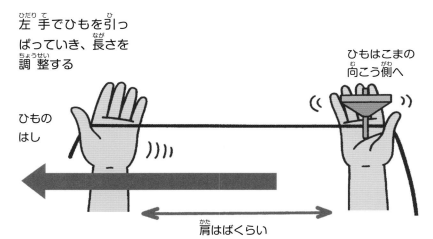

左手でひもを引っぱっていき、長さを調整する

ひもはこまの向こう側へ

ひものはし

肩はばくらい

手の上でななめにこまをまわせるとよい
「スタンダップ」参照（p46）

見て練習しよう　ツバメ返し（p44）
　　　　　　　　スタンダップ（p46）
応用技・あそび　大車輪（p52）
　　　　　　　　へび（p72）
　　　　　　　　かまいたち（p86）

② こまが体と反対側へ倒れたタイミングで、右手をかえし、こまをひもに乗せる。

右手は、こまをひもに乗せたら上に上げていき、下り坂をつくる

左手は、受け取る形で動かさず待つ！

中級の技

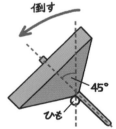

倒す

45°

ひも

こまは45°くらい倒れているとよい

ぐーっと押す！

こまがまっすぐ手の上でまわる場合は、スタンダップでこまを倒してから乗せる

もうひとつの

つなわたり （左手から右手へ）

「ヒバリ返し」（p44）から、こまの回転を使って反対側の手まで、ひもの上をころがっていきます。スピードがあり、平行なひもの上をこまがわたっていくので、見た目もキレイでカッコいい！

中級の技

ひもはピンと引っぱって張る

！ポイント

こまがひもに乗っている間、こまの心棒とひもは直角をたもつ
（自分が合わせて動こう）

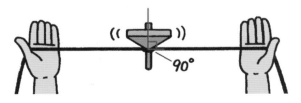

90°

いろいろな「つなわたり」

中級の技

レベル 1 2 3 4 5 6 7 8

背面つなわたり

背中側でつなわたり

レベル 1 2 3 4 5 6 7 8

トンネルつなわたり

足の下で
つなわたり

大車輪
（だいしゃりん）

手に乗せたこまの足にひもをかけて、頭の上をぐるっと1周まわす技です。こまを振りまわすので、まわりに気をつけてやりましょう。

① 「ツバメ返し」の後、「つなわたり」の形を作る。

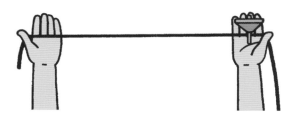

② こまの足をひもにかけながら、左側へ大きく振り出し、両手をとじ、ひもをたばねる。

振る

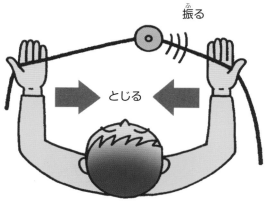

とじる

こまの重さと遠心力を利用して、ひもを振り出し、回転半径を調節する

見て練習しよう	ツバメ返し（p44）　つなわたり（p48）
応用技・あそび	空中メリーゴーランド（p54） へび（p72）　空中大車輪（p76） くさりがま（p88）

③　ひもにかけたこまを頭の上で振りまわし、
　最後、はね上げて手のひらにもどす。

1周

引く

中級の技

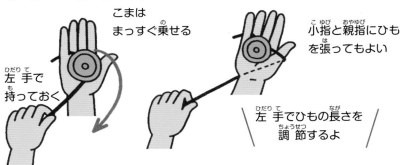

空中メリーゴーランド

手に乗せたこまの足にひもをかけて、手の下で小さく３周まわす技です。うまくできるようになれば、何周でもできるので挑戦してみましょう。

見て練習しよう　ツバメ返し（p44）　大車輪（p52）

応用技・あそび　へび（p72）　うずしお（p84）　かまいたち（p86）

① 「ツバメ返し」の後、ひもをこまの足の向こう側にかける。

こまはまっすぐ乗せる

小指と親指にひもを張ってもよい

左手で持っておく

左手でひもの長さを調節するよ

② ひもをかけたまま、こまを向こう側へ放り出し、ちょうどよい長さのところで右手でひもをたばねて、

スルスルスル

③ 左回転にこまを振りまわす（３周）。最後、はね上げて手のひらにもどす。

ここを中心にまわる

手首をかえす

くるくるくる

中級の技

振りまわすひもの長さと回転スピード

空中メリーゴーランド

中心

大車輪

中心

大車輪のように回転の半径が大きい場合はゆっくりと、空中メリーゴーランドのように回転の半径が小さい場合は早く振りまわす。

！ポイント

振りまわすスピードが

スポーン

早すぎる→遠心力ですっぽぬける

おそすぎる→ひもにこまの胴体が当たってしまう

ひもの長さに応じて、まわすスピードを調節しよう。

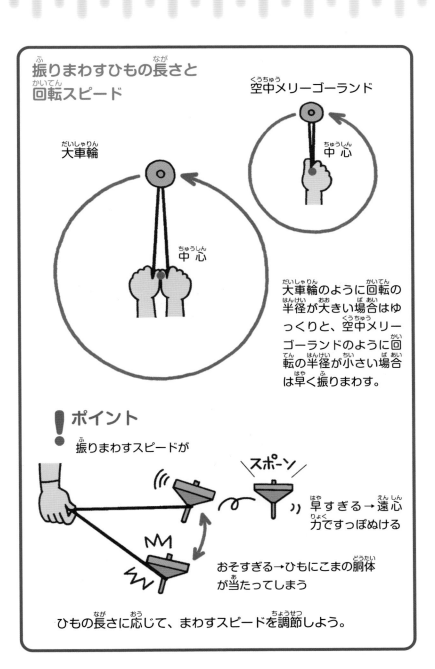

フォークボール

こまを上から投げてまわします。ほかのこまに上からぶつけて攻撃できる、九州けんかごまのこまのまわし方です。

① ひもを左巻き（反時計まわり）に巻き、図のように3本の指でこまを持つ。

ひもははしを小指ではさみ、くすり指でにぎり持つ

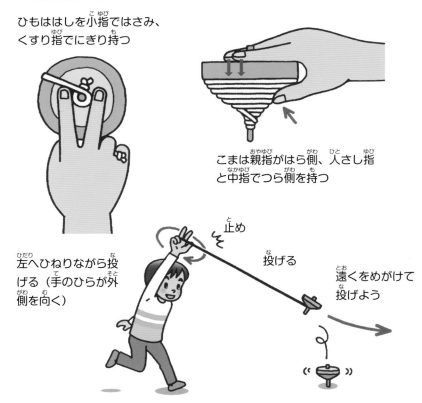

こまは親指がはら側、人さし指と中指でつら側を持つ

止め

左へひねりながら投げる（手のひらが外側を向く）

投げる

遠くをめがけて投げよう

② 頭の上でこまを遠くめがけて投げる。このとき、手首を左へひねりながら投げる。地面でまわれば成功！

中級の技

フォークボールのあそび

けんかごま

フォークボールは九州のけんかごまのまわし方。上から投げ、土俵の中の相手のこまにぶつけて土俵の外へはじき出す。
自分のこまは土俵の中に残るようにする。

九州けんかごま

博多系　　　　熊本系　　　　　　長崎系

57

カメレオン

カメレオンの舌のように、ひもをのばしてこまをつかまえる技です。一瞬でひもをこまの足に巻きつけてひもかけ手のせをします。

① 地面でこまをまわしたら、ひもの片方のはしを右手に巻きつけ、長さを調節し、両手でひもをピンと引っぱった状態にして持つ。

引く

引く

先端をつまむ

② 左手をはなし、右手で地面のこまをめがけてひもをはじき出し、タイミングよくひもを引いて、ひもの先端をこまにからめる。

ぱしっ!

③ ひもでこまを引き上げ、手のひらに乗せる。(ひもかけ手のせ)

中級の技

58

カメレオンのあそび
カメレオン競争

こまを１つまわし、そのこまを数人でカメレオンで取りあう。最初に手のひらに乗せた人の勝ち。

こまミニ知識

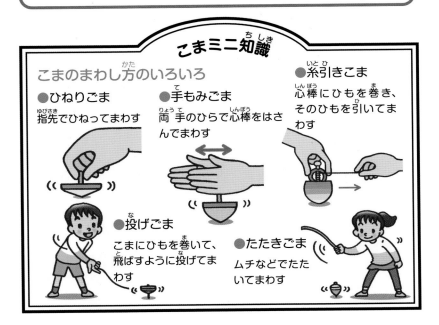

こまのまわし方のいろいろ

●ひねりごま
指先でひねってまわす

●手もみごま
両手のひらで心棒をはさんでまわす

●糸引きこま
心棒にひもを巻き、そのひもを引いてまわす

●投げごま
こまにひもを巻いて、飛ばすように投げてまわす

●たたきごま
ムチなどでたたいてまわす

水車まわし（ひもので）
すいしゃ

体の正面でこまを受け取る水車まわしです。ひもので は水車まわしの基本となる技なので、この技でこまの動き、体の動きをしっかりおぼえましょう。

① こまを上から下に向けて投げ、ツバメ返しと同じようにひもを引きぬく。

地面にこまが当たらないよう、少し早めに引きぬく

少しだけななめに投げる

つなわたりと同じように、ななめの状態だと乗りやすい

ひも

見て練習しよう	ツバメ返し（p44）　つなわたり（p48）
応用技・あそび	いろいろな水車まわし（p63） つまみ食い（p67）　とうろう（p68）

② 上に上がり、落ちてきたこまをひもで受け取る。

右手の近くでキャッチ
すると取りやすくなるよ

中級の技

ピンとひもを張った状態でこまを受け、あとはこまの重さ
を感じながらひもをたるませていく。

水車まわしとは、こまを横倒しにまわしてひもの上でまわす技。
たてにこまを投げるので「縦技」とも呼ばれます。ひもの上でま
わるこまは、より複雑な動きをするので、こまの状態に合わせて
体を動かすことが大事になります。失敗するとこまがころがって
いくので、壁やネットなどに向かって練習しましょう。
また、固い地面で失敗するとこまがいたむので、土や芝生など地
面がやわらかい場所で練習するとよいでしょう。

水車まわしのコツ

① こまの角度

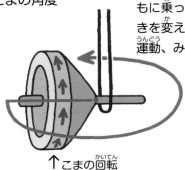

こまは、ひもを引くとき、そしてひもに乗っている間は、図のように向きを変える（首ふり運動または歳差運動、みそすり運動）。

上から見て、頭が左まわりに向きを変えていく

↑こまの回転

② 投げるときは、体の正面でこまを受けられるよう、上から見て手首を少し右にひねった状態で投げる。

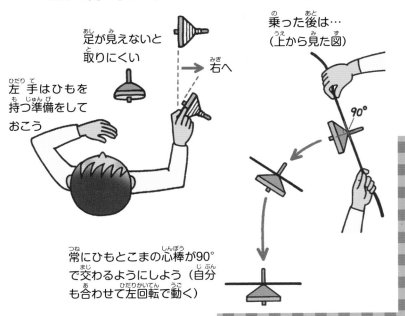

足が見えないと取りにくい

→ 右へ

左手はひもを持つ準備をしておこう

乗った後は…
（上から見た図）

90°

常にひもとこまの心棒が90°で交わるようにしよう（自分も合わせて左回転で動く）

62

いろいろな「水車<ruby>水車<rt>すいしゃ</rt></ruby>まわし」

レベル 1 2 3 **4** 5 6 7 8

またかけ（ふんどしかつぎ）

応用技<ruby>応用技<rt>おうようわざ</rt></ruby>・あそび　女<ruby>女<rt>おんな</rt></ruby>またかけ

両足<ruby>両足<rt>りょうあし</rt></ruby>の間<ruby>間<rt>あいだ</rt></ruby>で、落<ruby>落<rt>お</rt></ruby>ちてくるこまをキャッチ

レベル 1 2 3 **4** 5 6 7 8

こしかけ

応用技<ruby>応用技<rt>おうようわざ</rt></ruby>・あそび　あしかけ

背中側<ruby>背中側<rt>せなかがわ</rt></ruby>にひもを張<ruby>張<rt>は</rt></ruby>り、
右腕<ruby>右腕<rt>みぎうで</rt></ruby>の脇<ruby>脇<rt>わき</rt></ruby>でキャッチ

中級<ruby>中級<rt>ちゅうきゅう</rt></ruby>の技<ruby>技<rt>わざ</rt></ruby>

❗ ポイント1

こまが落<ruby>落<rt>お</rt></ruby>ちてくるまでに、こまを乗<ruby>乗<rt>の</rt></ruby>せるひもを用意<ruby>用意<rt>ようい</rt></ruby>しなくてはなりません。ひもをきれいに引<ruby>引<rt>ひ</rt></ruby>きぬいたら、右手<ruby>右手<rt>みぎて</rt></ruby>は左手<ruby>左手<rt>ひだりて</rt></ruby>の元<ruby>元<rt>もと</rt></ruby>へ持<ruby>持<rt>も</rt></ruby>っていき、左手<ruby>左手<rt>ひだりて</rt></ruby>はかるくひもをにぎって、すべらせながらひもをのばしていこう。

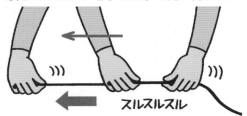

スルスルスル

レベル 1 2 3 4 5 6 7 8

女またかけ

ひもの片方を内またで
はさんでキャッチ

レベル 1 2 3 4 5 6 7 8

かたかけ

応用技・あそび みみかけ

ひもの片方を肩に
かけてキャッチ

ひもが落ちてしまう
場合は首ではさむ

レベル 1 2 3 4 5 6 7 8

ゆびかけ

親指と人さし指の間にひもを
張ってキャッチ

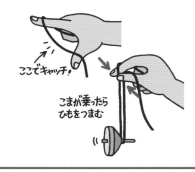

ここでキャッチ！

こまが乗ったら
ひもをつまむ

！ ポイント2

水車まわしのコツは「ひもさばき」

ひもを引きぬくとき、ひもがた
るまないようにいきおいよく、
そして大きな動きで引きぬこう。

目はこまを見よう

ひもがまっすぐ
のびると、その
後のひもさばき
もよくなる

ひもがたるんでいると、ひもを取れなかったり、
からまったりしてしまうよ

レベル

あしかけ

ひもの片方をひざの裏で
はさんでキャッチ

レベル

みみかけ （イヤリング）

ひもの片方を耳にかけてキャッチ

ここでキャッチ!

頭をかたむけると耳に
かけやすいよ

中級の技

連続技にチャレンジ

こまがまわっている間に、いろいろな水車
まわしをできるだけ続けてみよう。

7連続できたら
大名人!?

はねあげて

こしかけ　　　　　ひものせ　　　　　あしかけ

65

おぼえよう！ こまの技

上級の技

いよいよ**上級技**に **チャレンジ**だ！

　　基本となる中級の技をマスターしたら、おぼえたことを応用して、より上級の技にチャレンジしてみましょう。手順は多くなっていきますが、くりかえし練習をして動きをおぼえましょう。

　　こまの技は、ほとんどは子どもたちがあそびの中で気づき、考えて、完成させてきたものです。ある日ぐうぜん見つけたこまの動きを見て、「もしかしたらこんなことができるかもしれない」と思いついたのがスタートラインです。技の名前も地域によってさまざまで、同じ技でも名前がちがうということもあります。

　　今では数百種類の技があると言われています。この本で紹介した技もその一部でしかありません。もしかしたら、あそびや練習の中で、またたくさんの失敗の中で、気づいたことが新しい技が生まれるチャンスになるかもしれません。自分だけの技を考えていくのも、こまの楽しさのひとつです。

つまみ食い

つぎの「とうろう」にチャレンジする前にマスターしたい必須技。「水車まわし」で投げたこまを、親指と人さし指で受けます。

見て練習しよう　水車まわし（p60）

応用技・あそび　とうろう（p68）

「水車まわし」の要領でこまをたてに投げ、親指と人さし指の指先で作った谷に乗せてまわす。

上級の技

ここでまわす

とうろう（燈籠）

「つまみ食い」で受けたこまを、親指の上でまわします。バランスの悪いこまだと足がブレてあばれてしまうのでうまくいきません。

① 「つまみ食い」をする。つぎに親指のはらをこまの足先に当てて、人さし指を心棒に当て、手前にぐっと押さえこんでいく。

心棒に当てて押していく（人さし指）

足先に当てる
（親指）

② 人さし指を心棒に当てると、こまが立ち上がってくる。ちょうどよいところで人さし指の押す力を弱め、必要ならば「スタンダップ」でこまをまっすぐに立てる。

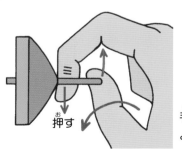

押す

手首を左に"ひねる"
ようなイメージ

親指ははらが上を向いてくる
（こまを乗せる向き）

見て練習しよう つまみ食い（p67）
　　　　　　　　スタンダップ（p46）
応用技・あそび うぐいす（p71）

③ 人さし指をはなし、親指の上でまわす。

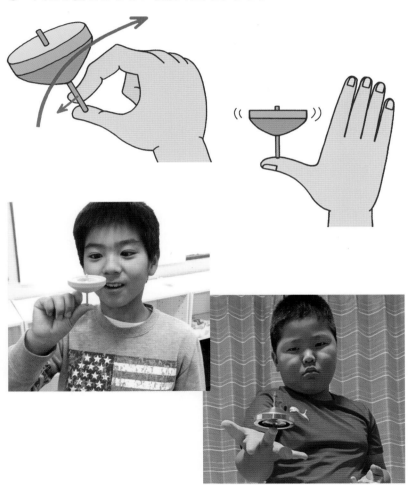

上級の技

とうろう いろいろな乗せ方

それぞれちがったテクニックが必要だよ！

1

① こまをななめに「ツバメ返し」をして、人さし指で引っかける。

② 遠心力で人さし指にこまが引っかかっている間に、こまの足の下へ親指をもっていく。

手は大きく左方向へ、円を描くように振る

③ 「スタンダップ」を使い、こまをまっすぐ立てる。

振るのをやめない！

手の振りからスタンダップへ、スムーズにつながるとよい

2

① こまを"まっすぐ"ツバメ返しをして、人さし指と中指のすきまに、こまのはらを乗せる。

② すぐに親指をこまの足の下へもっていき、こまを乗せて、人さし指と中指をぬく。

上級の技

70

うぐいす

「つまみ食い」（p67）で受けたこまを、人さし指の上でまわす
技です。「とうろう」から人さし指に、しんちょうにこまを移
してください。

見て練習しよう　とうろう（p68）

① p69の③でこまがまっすぐにな
ったら、こまの足の右側に人さし
指を置き、手を右にひねり、そっ
とこまを人さし指に移す。

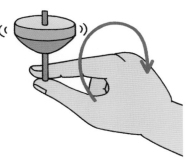

！ ポイント

●自分の指のどこにこまが安定
して乗るのか見きわめよう。

上級の技

力をぬいてリラックス
してやろう

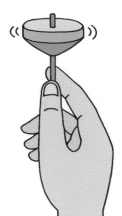

親指で押したり支え
たりして、安定する
場所をさがそう

手がふるえると
落ちてしまうよ

②親指をはなし、人さし指
の上でまわす。

へび

腕のまわりにへびのように巻いたひもを伝って、こまがすべり落ちていく技。スピード感と複雑な動きが魅力です。

ツバメ返しで"まっすぐ"手に乗せる。ななめの場合は「スタンダップ」でまっすぐにする。

① こまの足に、右巻きに1周ひもを巻く。

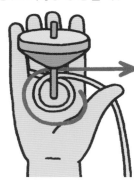

小指のひもははなさない

親指と人さし指の間からたらす

！ポイント

●こまの足にひもが当たらないように、ココでひもをはさんでおくとよい

見て練習しよう　空中メリーゴーランド（p54）

② 図のように、ひもを腕に巻いていく。

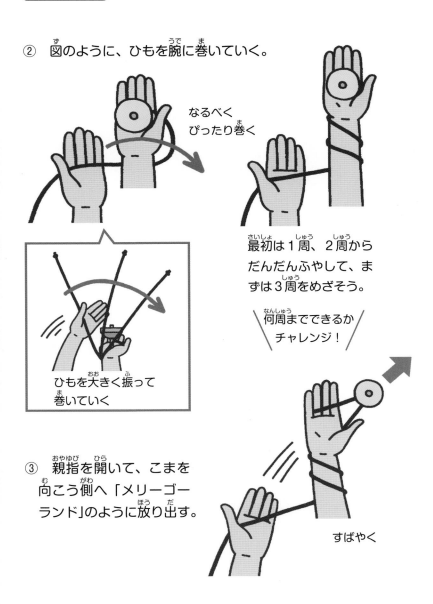

なるべく
ぴったり巻く

最初は1周、2周から
だんだんふやして、ま
ずは3周をめざそう。

何周までできるか
チャレンジ！

ひもを大きく振って
巻いていく

③ 親指を開いて、こまを
向こう側へ「メリーゴー
ランド」のように放り出す。

すばやく

上級の技

73

④　こまを放り出したら、すぐに腕を垂直に立てる。

こまはひもを伝ってまわりながら降りていく

こまがひもを伝うスピードが足りず、腕にこまが当たってしまう場合は、腕を少しだけ振ってサポートしてあげる

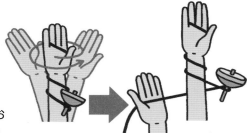

左手は、かるく引っぱっておく（ひもがたるまないていど）

⑤　下まで降りてきたら、そのまますべらせて左手に乗せるか、「メリーゴーランド」のように振り、引っぱり上げて手のひらに乗せる。

心棒に1回ひもを巻いているので、こまが止まらないよう注意！すぐにひもを外そう

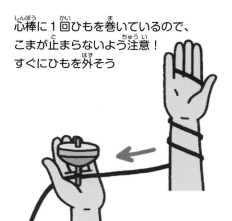

左手をひじにつけてメリーゴーランド

タイミングを合わせて引っぱり上げられるよ

Let's try!

ためしてみよう

じょうずにできるようになれば、いろいろなところにひもを
巻きつけてへびができるよ！

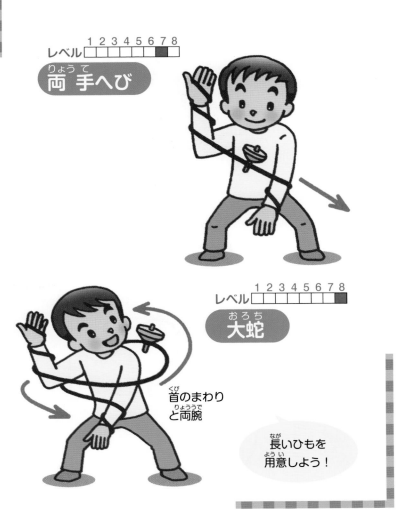

レベル 1 2 3 4 5 6 7 8

両手へび（りょうて）

レベル 1 2 3 4 5 6 7 8

大蛇（おろち）

首（くび）のまわり
と両腕（りょううで）

長（なが）いひもを
用意（ようい）しよう！

上級の技

空中大車輪
くうちゅうだいしゃりん

こまを手に乗せず、空中でそのままひもをかけて「大車輪」を
します。失敗して落とすとこまがいたみやすいので、地面がや
わらかいところで練習しましょう。

① こまがまっすぐになるようにツバメ返しをする。

右肩のあたりに大き
な動きで引きぬくと、
高く上がりやすい

こまがかたむいたり、
自分のところまで
もどってこないよ

× 真上はダメ

右肩のあたりにこまが返って
くるように何度も練習しよう

上級の技

76

見て練習しよう 大車輪（p52）
応用技・あそび くさりがま（p88）

② 飛んできたこまを、両手で張ったひもで引っかけてキャッチし、両手をよせてひもをたるませ、大車輪をする。

こまをよく見て、足の部分をめがけて腕を振ろう

右手を大きく振ってこまを引っかけよう

そのまま大車輪

むち

「ひものせ」（p60）の後、ひもの両はしを片手でにぎって輪っかを作り、はね上げたこまに向かって輪っかを振り、こまを引っかける技です。

① 「ひものせ」をする。その後、ひもの両はしを片手でにぎり持ち、輪っか状にする。

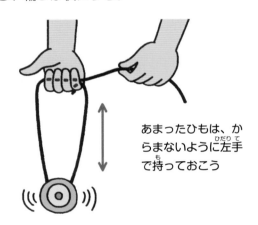

あまったひもは、からまないように左手で持っておこう

輪っかの大きさは好みで

大きい ⟵	⟶ 小さい
○ゆっくりできる	○すばやくできる
×ひもがたるみやすい	×こまを取るときのショックが大きい
○ショックの吸収がしやすい	○こまがひもにかかりやすい

② こまを上へ投げ上げ、落ちてきたこまを、ひもで
作った輪っかで引っかけて取る。

後ろまわり

こまをすくうかんじで

人さし指近くでこまの
足を引っかける

こまのはら側が自分に向
いたときに投げ上げる

①の状態にもどって成功！

輪っかが閉じないようにまわす

●連続で何回できるか
●こまが落ちてくるまでに何周ひ
もをまわせるか

　　など、チャレンジしてみよう。

ヒュン
ヒュン
ヒュン

上級の技

鯉の滝登り（エレベーター）

「ひものせ」の後、こまの足にひもを巻きつけ、回転力でこまが上へ上がっていく技です。こまの回転力がないと上がっていかないので、強くこまをまわせるように練習しましょう。

① できるだけこまを強くまわし、「ひものせ」をする。

ビューン

天井にぶつけないでね

強くこまをまわそうとすると、こまが高く上がりやすくなるので気をつけよう。

※こまの回転が弱いと、この技はできません！

② こまを体の左側でぶらさげられるように、右手を左の肩まで持っていく。

右手は左の肩のあたり

左手は腰のあたり

ひもは指の先でつまむように持っておこう

上級の技

見て練習しよう　ひものせ（p60）

応用技・あそび　忍者（p82）

ひもをたるませると
こまが落ちてしまうよ

③　左手でこまの足にひもを巻き、ひも
を上下にかるく引きながら直線にする。

かるく張る

足先の方にひもを巻く
のがポイント！

④　ひもを引き、張る力を強めると、
こまが上へ上がっていく。最後はひ
もをゆるめて、右手の上にこまを乗
せ、「スタンダップ」（p46）でこま
を立たせる。

引く

引く

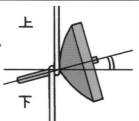

強く引きすぎるとこまが止まって
しまう。力かげんをおぼえよう

上級の技

！ポイント

こまとひもの角度

●少しだけ、こまのはらに上側のひもを当てる。
こまに合わせてひもの角度を調整しよう。何
度もトライして、こまがいきおいよく上がる
角度をおぼえよう。

上

下

忍者

背中側で鯉の滝登りをする技です。

p81の③のとき、右手を右肩の後ろ
まで持っていく。

刀を背負った
忍者みたい！

手首は後ろ
に返す

ひもが背中に
ななめにかかる

●ひもを引いて張り、鯉の滝登りをする

●こまのかたむきや強さを見てひもの角度を調整できな
いので、とてもむずかしい。スタート時点で、すべて
の形を決めなくてはならない！

道具について

鯉の滝登りや忍者は、細くやわらかいひもを使うとうまくいきます。
太すぎるひもや、かるくて回転力の弱いこまではできません。ほか
にも、道具の選び方でやりやすい、やりにくい技があります。技が
うまくいかないときは、道具を変えてみるのもいいでしょう。

上級の技

日本独特のこま

現在、わたしたちがあそんでいる「投げごま」は、回転時間も長く、多くの技ができる日本独特のこまです。

海外のこまのほとんどは「たたきごま」が進化した縦長のけんかごまが中心でした。日本では、元禄時代に上面が平たかった博多系のこまを改良した心棒の長い「九州けんかごま」が登場し、飛躍的に回転時間が延びて人気がでました。

心棒を長くしたことで、地面でしかまわらなかったこまが、手にのせたり、ひもにかけたりと多くの技ができるようになったため、人に見せるための曲芸師があらわれました。そして、集まった見物客に歯みがきや薬を売る人たちが出てきました。あまりに流行したため幕府から禁止令が出たほどです。そのため、舞台芸や大道芸に移っていきました。

舞台で曲ごまをする人を描いた浮世絵（日本独楽博物館所蔵）

はじめのうちは大人のあそびとして人気があったこまですが、次第に子どもたちの間でもあそばれるようになりました。

天保年間には「鉄胴ごま」も登場しました。「けんかごま」としても迫力があり、より回転力が増し、技も進化して、ますます子どもたちの心をとらえました。

浮世絵などに見る江戸時代の「投げごま」の上面は、少しふくらみをもっています。戦前までは日本各地にろくろで木製品をつくる木地師と呼ばれる人が、地元の子どもたちのためにこまをつくっていましたが、大量生産がはじまると生計が成り立たなくなり廃業していきました。

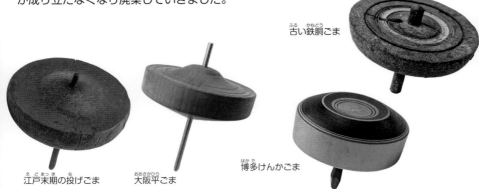

古い鉄胴ごま

江戸末期の投げごま

大阪平ごま

博多けんかごま

うずしお

「空中メリーゴーランド」（p54）の要領でこまの足にひもをかけて振りまわしますが、この技は手の下と上で交互に振りまわします。

① 空中メリーゴーランドをして、手の下側で1周こまを振りまわしたら、つぎは手の上側で1周させる。

順番はどちら側からでもOK

下側   上側

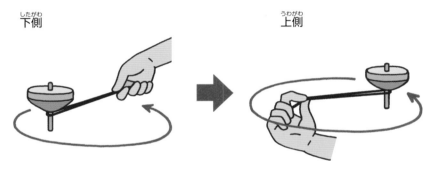

② 上下1回ずつで1セットとし、まずは3セットくりかえすことをめざす。最後は手のひらの上へもどす。

何セットできるか
チャレンジ！

見て練習しよう ツバメ返し（p44） 空中メリーゴーランド（p54）

応用技・あそび かまいたち（p86）

●空中メリーゴーランドは手の下側だけで振りまわすので、ひもがだんだんねじれて、こまがかたむいてしまう。

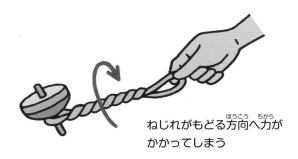

ねじれがもどる方向へ力がかかってしまう

●手の上下でまわすことで、ねじれをもどし、よりたくさん振りまわせるようになるよ。

！ポイント

●なるべく回転の中心がずれないように、「手がこまをよける」イメージでやるとうまくいくよ。

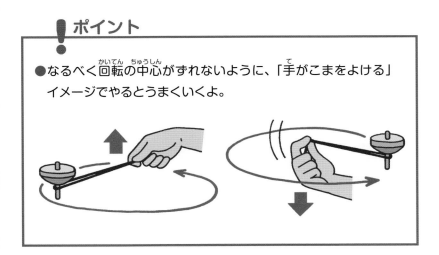

上級の技

かまいたち

「うずしお」(p84)よりすばやく振りまわすことができる技です。手の動きが複雑なので、おぼえるまでくりかえし動きの練習をしましょう。

① こまがまっすぐ立つようにツバメ返しをする。右手の親指に上からひもをかけ、左手にひもを巻いていく（ひもの「あまり」がないように）。

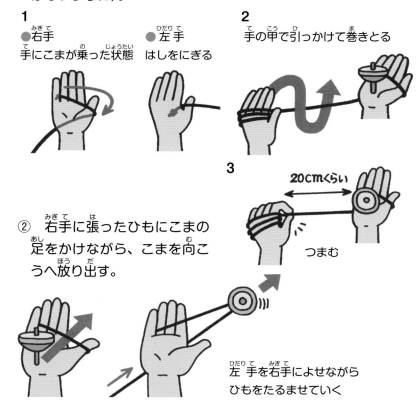

1

●右手
手にこまが乗った状態

●左手
はしをにぎる

2
手の甲で引っかけて巻きとる

3
20cmくらい
つまむ

② 右手に張ったひもにこまの足をかけながら、こまを向こうへ放り出す。

左手を右手によせながらひもをたるませていく

上級の技

見て練習しよう　ツバメ返し（p44）　空中メリーゴーランド（p54）
　　　　　　　　うずしお（p84）

③　右手をかえしてひもをつまみ、左手の指先に
　よせる。この状態で空中メリーゴーランドのよ
　うに左回転で振りまわす。

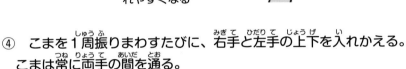

指先がはなれると、
こまがひもから外
れやすくなる

④　こまを1周振りまわすたびに、右手と左手の上下を入れかえる。
　こまは常に両手の間を通る。

間を通る

こまが向こう側へ行
ったとき、手の上下
を入れかえる

⑤　手の入れかえ2回で1セットとし、1セットずつふやして
　5周をめざす。最後は手のひらの上へもどす。

手の動きをおぼえるのがたいへん！

最初はひもに重りをしばりつけて、
振りまわすだけの練習を
してもいいね

ボールなど

上級の技

くさりがま

輪っかにしたひもを「むち」（p78）のように振りまわし、空中に投げ上げたこまに引っかけて頭の上でまわす技。落ちてくるこまをよく見て、タイミングよくひもを引っかけましょう。

① こまがまっすぐ立つようにヒバリ返しをしたら、ひもで輪っかを作る。

こまを落とさないように注意しよう！

<例>

両手で

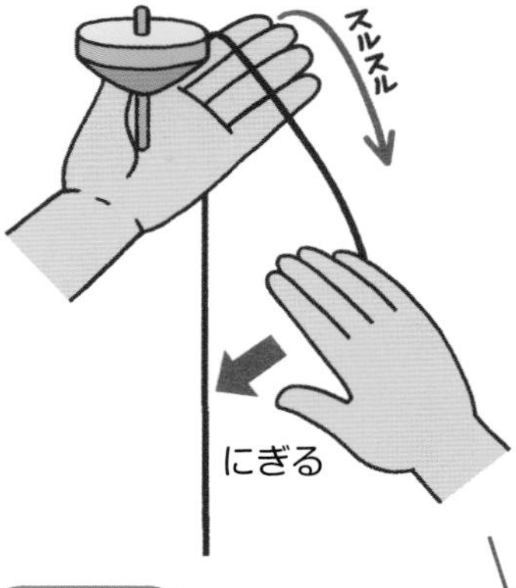

スルスル

にぎる

片手で

2 落ちてきたひものはしをキャッチ

1 大きく上へ振る

地面で

自分のやりやすい方法を見つけよう

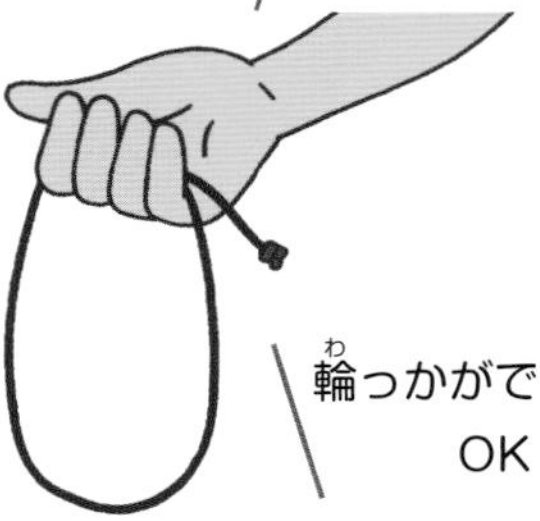

輪っかができれば OK

上級の技

見て練習しよう ヒバリ返し（p44） 空中大車輪（p76） むち（p78）

② こまを高く投げ上げ、落ちてくるまでにひもを頭の上で振りまわす。

ヒュンヒュン

右まわし

最初は２周をめざし、できれば回数をふやしてみよう

1周、2周、3周めで③へ

上級の技

③ 落ちてきたこまを輪っかで引っかけ、かかったら空中大車輪のように頭の上で１周以上振りまわす。

④ 最後は、はね上げて手のひらへもどす。

引く

べーごまと
ベイブレード

＊べーごまの「べー」は「バイ」がなまったものです。

　べーごまは、江戸期にばい貝のからに砂や
なまりをつめ、ろうでふさいだものをひもで
まわしてあそんだのがはじまりといわれてい
ます。
　明治40年頃、関西で鉄製べーごまが登場し
たため、貝製のものは大正時代のはじめ頃
には消えていきました。
　戦争がはじまると鉄や他の金属類が統制に
なったため、土製やガラス製などの材質のも
のがつくられるようになりました。
　昭和20年代後半頃までは、さかんにあそば
れていましたが、新しいおもちゃやゲームに
押され衰退していきました。しかし、最近は
復活を願う愛好者が集まり、各地で大会も開
かれています。べーごまは、年少児にとっ
てはひもを巻くのがむずかしいことから、簡
単にまわせるべーごまが考えられ、平成にな
って、ベイブレードが登場しました。

初期貝型

海螺貝のばい

関東で大流行した
桜べーごま

戦時中につくられた
ガラス製のべーごま

改造べーごま

簡単にまわせるベイブレード

　こまとこまがぶつかると、
火花を出し、相手をはじき
飛ばす迫力満点のべーご
まあそびに夢中になる子ど
もたち。

こまの あそび

　ここからは、こまのいろいろなあそび方を紹介していきます。

　こまは、技をするためだけの道具ではありません。あくまで「あそぶため」のものです。決められた手順、決められたルール、それを必ずしも守らなければいけないということはありません。

　この本に書いてあるあそび方は基本的なものです。自分たちがあそぶ環境や、いっしょにあそぶ友だちの実力差に合わせて、ルールを変えたり、付け加えたり、ハンデをつけたり、みんなで話しあってどんどん自分たちのルールを作ってみてください。そうやってみんなが納得するように考えたルールは大切にして、きちんと守って楽しくあそびましょう。

あそぶときに注意したいこと

● まわりの人や物に気をつけてあそぼう。人のいるほうに投げないこと。近くにガラスなどがないか注意しよう。

● 動きのはげしいあそび方もあるよ。ころんだりぶつかったりしないよう、ケガに注意すること。

● 板などを用意しておくといいよ。床を傷つけないし、外であそぶときにも役に立つよ。

● こまを床に置きっぱなしにしないこと。ふんでしまうとあぶないし、こまがこわれてしまうよ。練習やあそびの後はきちんと片づけよう。

● 「こうなったときはどうしたらいいんだろう？」と、ルールについて疑問があるときは、みんなが納得するように話しあって、自分たちでルールを決めるようにしよう。

長生き競争 2人から

かけ声とともにいっせいにこまを投げ、だれがいちばん長くまわるかを競います。

見て練習しよう ひもを引きぬく（p20）　まといれ（p26）

準備
●板を置いたり、床にテープをはったりして、リングにしてもよい。
●こまにひもを巻いて待つ。

① 「せーの」などのかけ声で、全員同時にこまをまわす。
② こまが止まった人は、じゃまにならないようにすぐにこまを取りのぞく。
③ いちばん長くまわっていた人の勝ち。

こまをまわしたら、止まるまでこまにさわらない！

── ルールのヒント ──
●リングに入らなかったら負け。
●リングから出たら負け。
などいろいろ考えて楽しもう。

たおれそう…

こまのあそび

けんかごま

いっせいにこまをまわし、ジャンプ（p24）を使って相手にこまをぶつけて戦います。最後までまわっていた人が勝ちです。ここでは一例として、チーム戦のやり方を説明します。

見て練習しよう ひもを引きぬく（p20） ジャンプ（p24）

準備

チームごとに順番を決め、こまのひもを巻いて待つ。

① 　1対1で対戦する。最初の人がかけ声と同時にこまをまわす。

② 　「ジャンプ」（p24）で相手とこまをぶつけあい、片方が止まるまでつづける。

③ 　どちらかが止まるかリングアウトになったら、つぎの人が5秒 以内にこまをまわす。

④ 　①～③をくりかえし、最後まで残ったチームの勝ち。

★リングを置く場合、場外に
出たら5秒以内にもどる
（もどれなければアウト）。

――― ルールのヒント ―――
●ジャンプは1回ずつ交互に行うようにする。
●リングの外に出たら負け（もどれない）。
●相手のこまにふれたら反則負け

　　　　　　　　　　　　など。

こままととりゲーム

2〜10人
くらい

しんぱん1人

「いすとりゲーム」と同じあそび方です。いすの
代わりにこまを投げ入れるまとを用意し、音楽が
止まった瞬間にいっせいに「まといれ」（p26）をします。

見て練習しよう ひもを引きぬく（p20）　まといれ（p26）

準備

● 「人数より1こ少ない数」のまとを用意し、円形にならべる。い
ろいろな大きさがあるとよい。

●しんぱんは音楽を流したり止めたりする係。

しんぱん

★投げ方によって入れやすい向きもあるので、
1回ごとにまわる向きを変えると、公平に
なって勝負がおもしろくなるよ。

こまのあそび

96

① 音楽を流し、その間は全員がまとのまわりを歩く。
② 音楽が止まった瞬間、近くのまとにこまを投げ入れる。（早い者勝ち）
③ まとに入れられなかった人は退場。まとを１つへらして①〜② をくりかえす。
④ 最後のまとに入れた人の勝ち。

すぐにまわせるように
こまを準備しておく

―――― ルールのヒント ――――

● まとにこまが２つ入った場合
　しんぱんの判断で、早くこまを入れたほうを勝ちとする。
● まとに入らなかった場合（何人でも）
　しんぱんのカウント以内（10秒など）ならやり直しができる。
時間切れは退場。

こま迷路 （1人から）

こまで迷路あそびをしよう。迷路は手作りします。スタート地点でこまをまわし、板を手に持ってかたむけながら、こまをゴールへと進めます。壁を飛びこえるのはだめですよ。

見て練習しよう　ひもを引きぬく（p20）　まといれ（p26）

友だちとクリアタイムを
競っても楽しいね

きみならどんな
コースにする？

!注意●ドリルなどで穴をあける場合は、大人の人にやってもらおう。

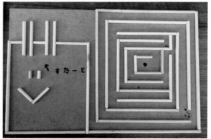

作り方

板に木ぎれを貼って
コースをつくる。

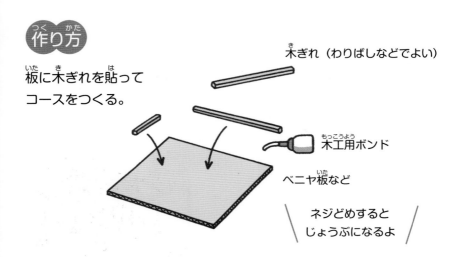

木ぎれ（わりばしなどでよい）

木工用ボンド

ベニヤ板など

ネジどめすると
じょうぶになるよ

【迷路の例】

いろいろなコースを考えてみよう

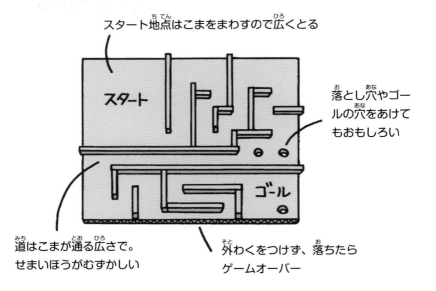

スタート地点はこまをまわすので広くとる

落とし穴やゴールの穴をあけてもおもしろい

道はこまが通る広さで。
せまいほうがむずかしい

外わくをつけず、落ちたら
ゲームオーバー

こま鬼ごっこ （2人から）

こまを手の上でまわし、こまがまわっている間だけ動ける鬼ごっこです。空中手のせ（p42）ができるようになってからやると、よりスピーディーなゲームが楽しめます。

 見て練習しよう ひもを引きぬく（p20）
まといれ（p26）
ひもかけ手のせ（p30）
空中手のせ（p42）

準備

じゃんけんなどで鬼を決め、
こまにひもを巻いて待つ。

① 合図で鬼以外はこまをまわし、手にのせる。鬼は10数えてからこまをまわし、手にのせる。
② こまがまわっている間は追いかけたりにげたりできる。こまが止まるか落ちるかしたら、もう一度手の上でこまをまわすまで動けない。
③ 最初にタッチされた人が次の鬼になる。

！ 注意●こまに集中しすぎて人や壁にぶつかったり、段差でころばないように気をつけよう。

こまのあそび

ひもを落とすと、こまが
止まったときにまわせ
なくなる。しっかり
持っていよう

いそげ〜

こまが
止まったら
STOP!

まて〜

手の上でまわすのが
むずかしければ、お皿や
キャップの上などで
まわしてもよい

ルールのヒント

●ひもを落とした場合、ひもをひろうまでにげた
り追いかけたりできない。

101

こまはなぜ倒れないの?

こまをいきおいよく離すと、ストンと地面に落ちて、くるくるとまわり続けるのはなぜかな? こまの不思議を考えてみましょう。

その1 慣性の法則

止まっているものは止まったまま、動いているものは、同じ速さ・同じ向きで動いたまま、そのままの状態でいようとします。これを「慣性の法則」といいます。

地球上では重力やまさつ、空気の抵抗など、外からの力がたくさんあるのでそうはいきませんが、無重力の宇宙空間などでこまをまわせば、同じ向きで、同じ速さでずっとまわり続けます。

●ジャイロ効果を体感できるこま

ジャイロ効果のはたらきを体感できるこまに、「ジャイロごま」があります。こまのまわりにリングがはまっているこまで、手に持ってもリングの中のこまの回転が止まらないので、いろいろな方向に傾けて、ジャイロ効果の動きを体感できます。斜めにまわしたりひもにつるして真横にまわしたりもできます。

歳差運動を起こさないようにつくられたこまに「マクスウェルのこま」(p116)があります。やじろべえのような形のこまで、こまの胴体の重心(重力のかかる中心)と、こまを支える心棒の足先(支点という)が同じ位置にくるようにつくられていて、指の上や細い土台の上でまわすと、斜めのままピタッと止まってまわる、不思議なこまです。心棒の頭で迷路をなぞるような動きも見せてくれます。

その2 ジャイロ効果

　回転するものが、そのままの状態でい続けようとする力を「ジャイロ効果」といい、この力は、回転が速ければ速いほど強くなります。まわっているとジャイロ効果によって安定するので、ラグビーボールや、やり投げのやりは、回転させて投げると安定して、まっすぐ飛びやすくなります。

　地球上では、ものは重力によって地面に引っ張られています。こまもまわっていなければ倒れてしまいますが、高速で回転することによって、その格好のままでい続けようとして、地面の上に立つわけです。しかし、ほかにも地面からのまさつや空気抵抗という、こまの回転を止めようとする力もはたらいています。こまの回転が弱くなると、こまのジャイロ効果もどんどん弱くなり、いずれは重力に負けて倒れてしまいます。

その3 首振り運動（歳差運動・みそすり運動）とねむりごま

　ジャイロ効果には「そのままの格好でい続けようとする力」のほかに、もう1つおもしろい特徴があります。心棒（回転軸）を傾けようとすると、傾けようとした向きの横方向（直角方向）へ心棒（回転軸）が傾いてしまうのです。

　こまをまわした時にこまが斜めになっていると、こまの頭がゆっくり円を描いたり、こまの足が地面をくるくると円を描いて移動したりするのを見たことがあると思います。これを「首振り運動」、むずかしい言葉で「歳差運動」（古くは、みそすり運動といい、すり鉢でみそをするような動き）といいます。

　少しでも斜めになったこまには、重力によって倒れる方向に力がかかっていますが、ジャイロ効果によって、斜めになっても頭をくるくる振るだけで、倒れずにいるのです。

　また、地面との「まさつ」も手伝って、こまの足があまり移動しなくなり、最後はまっすぐに立ち上がります。これを「ねむりごま」といいます。バランスのよいこまだと、止まっているようにも見えます。

歳差運動 (くびふり)

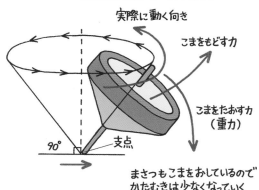

実際に動く向き
こまをもどす力
こまをたおす力（重力）
90°　支点
まさつもこまをおしているのでかたむきは少なくなっていく

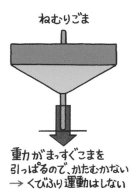

ねむりごま
重力がまっすぐこまを引っぱるので、かたむかない
→ くびふり運動はしない

よくまわるこまって、どんなこま？

■ ポイント1 重心

　よくまわるこまは、まわっている間ピタッと止まったように見えるほど、まっすぐ立っています。これは、回転するこまの重心に心棒（回転軸）があるからです。重心というのは、「形」ではなく、「重さ」の中心のことで、見た目ではわかりません。たとえば、木製のこまは、円の中心に心棒がささっていても、木目が平均に入っているわけではないので、重心にはなりません。ろくろという、まわしながら木をけずる機械でつくったり、軽いほうに重りをうめ込んだりしてバランスをとります。逆に、形がいびつであっても、そのものの重心に心棒がささっていれば、こまはきれいにまわります。ちなみに、重心の高さは、低いほうが長くまわるといわれています。

重心に心棒がささっている

よくまわるよ！

ポイント2 こまの大きさ、重さ

　これには、慣性の法則が関わってきます。ものは、重いものほど「動かない」ようにふるまう力がはたらいているので、より強い力で動かそうとしなければなりません。逆に、動きはじめると、今度は「動き続けよう」とするのです。重いこまのほうが回転が長持ちします。それも、重さが心棒から離れているほうが、回転する時の力も強くなります。したがって、こまは大きく重く、重さは円の外側に集まっているもののほうがよくまわります。世界一長くまわる投げごま、マレーシアの「ガシン」は、円の外側に大きな鉄の輪がはまっています。

ずっとまわるよ！

鉄

ポイント3 心棒の足先（支点）

　心棒の足先（支点）は、地面と直接触れる部分なので、「まさつ」が関係してきます。まさつは、こまの回転を止めようとするので、できるだけ少ないほうがよいのです。ものは、たくさんの面が触れているとまさつが大きくなりますので、心棒の足先（支点）は、細いほうが少なくなります。

　しかしとがっていると、地面にささってしまい、まさつが強くなってしまうので、ある程度丸いほうがよいです。また、足先が丸くなっていると、首振り運動の助けも強く、こまがまっすぐ立ち上がりやすくなります。

心棒は…

○　×

まとめ

よくまわる（長くまわる）こまの条件
- ●心棒がこまの重心を通っていること
- ● 重心が低いこと
- ● 直径が大きく、重さが円の外周に集まっていること
- ●心棒の先が細く丸く、
  まさつが少ないこと
  （地面が固く、よくすべる場所
  だとなおよい）

●ミニ知識● 重心の高いこま

　地球上にあるものは普通、重心が低いほうが安定しています。しかし、こまはまわっている間は重心が高いほうが安定するという不思議な性質をもっています。

　ゆでたまごを横向きにまわすと、だんだん傾いて縦向きにまわるようになりますが、これはまさつ、歳差運動、重心と回転軸のズレなどが複雑に影響しあった結果といわれています。この性質を利用したこまに「さかだちごま」があり、ボール形の胴体の１か所を切り、そこに心棒をさした形をした「ひねりごま」になります。丸い部分を下にしてまわすと、だんだん向きを変え、最終的には心棒を下にして、安定してまわります。こまはより安定した向きでまわろうとするのです。

手づくり
こま

　こまはとても身近なおもちゃで、身のまわりにはこまの材料になるものがたくさんあります。手を加えなくてもそのままでこまになるものだってあります。

　古くはどんぐりにつまみ軸をさしてつくったり、石ころや貝殻をけずったりして、手元にあるもので、おもちゃをつくってあそんでいました。もちろん、時間をかけててい
ねいにつくれば、見た目もきれいで、よくまわるこまができるのですが、基本的にそんなにむずかしい加工は必要ないのです。

　ここでは、むずかしく考えずに、105ページで紹介した『よくまわるこま』の条件を参考にして、こまをつくってみましょう。

　はじめはうまくいかないかもしれませんが、いろいろためしていくうちに、よくまわるこまがつくれるようになるでしょう。あきらめずチャレンジしていけば、こまづくり名人になれるかもしれませんよ。

用意しておくと便利な道具

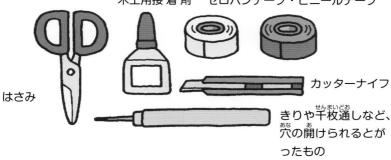

木工用接着剤　　セロハンテープ・ビニールテープ

はさみ

カッターナイフ

きりや千枚通しなど、穴の開けられるととがったもの

！注意

■刃物を使う時はけがに気をつけよう。刃物を持っている時は、ふざけてはだめだよ。

■工作は片づけも大事。つくり終わったら、道具を元にもどし、散らかしたゴミはまとめて捨てよう。

使うときは気をつけて！

テープごま

色とりどりのテープを使って、まわった時の色の変化を楽しもう。

◆ 用意するもの

つまようじ（竹串）

のり（セロハンテープ）

紙テープ

◆ つくり方

① つまようじに紙テープの端をはりつける。

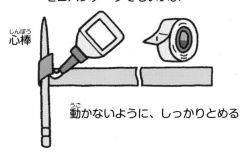

のりのほうがしっかりはれるけれど、
セロハンテープでもいいよ

心棒

動かないように、しっかりとめる

つまようじは、とがっているほう、まるいほう、どちらが下だとよくまわるかな？

② 紙テープをつまようじにくるくる巻いて、胴体をつくる。

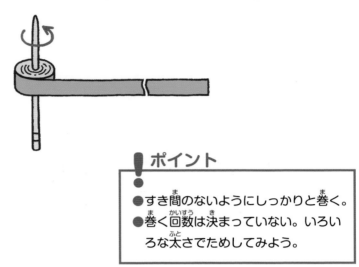

手づくりこま

! ポイント

● すき間のないようにしっかりと巻く。
● 巻く回数は決まっていない。いろいろな太さでためしてみよう。

③ 紙テープの端をのりでとめて完成。

＊105ページを見て、どんなこまがよくまわるか考えてみよう。

ためしてみよう Let's try!

★紙テープの代わりにいろいろな素材のテープを巻いてみよう。
★巻く途中で素材を変えてみよう。

CDごま

ビー玉とCDだけでつくれる超簡単ごま。
CDにいろいろな絵を描いても楽しいよ。

用意するもの

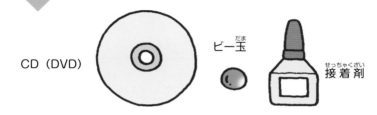

CD（DVD）　　ビー玉　　接着剤

つくり方

① CDの穴にビー玉をはめ、接着剤でとめて完成。

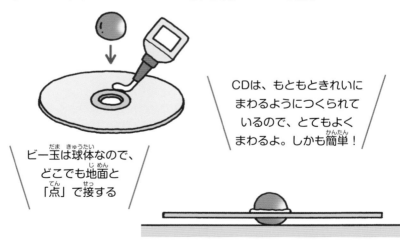

CDは、もともときれいに
まわるようにつくられて
いるので、とてもよく
まわるよ。しかも簡単！

ビー玉は球体なので、
どこでも地面と
「点」で接する

ちょっとだけ出た部分が心棒になる

★CDに絵を描いてまわすと、どんなふうに見えるかためしてみよう。

ベンハムのこま

白と黒だけなのに、まわる
といろいろな色が見える

ストロボごま

円周上に白黒のモザイ
ク模様を入れていこう

蛍光灯の下でまわすと、こまが右にまわっ
たり、左にまわったりして見えるよ

★モザイクの数や大きさでどんな見え方になるかな?

手づくりこま

113

いろいろな形のこま

三角、四角、星形……。どんな形のこまが一番まわるかな？ ためしてみよう。

用意するもの

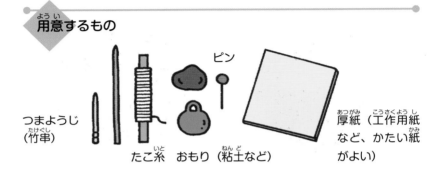

つまようじ
(竹串)

ピン

たこ糸　おもり（粘土など）

厚紙（工作用紙など、かたい紙がよい）

つくり方

① 厚紙を好きな形に切る。

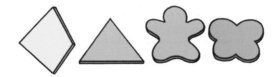

最初は
三角形や
四角形など
シンプルな
形から
チャレンジ
しよう！

② 切った厚紙の端に穴をあけ、おもりをつけたたこ糸と一緒にピンで壁などにぶらさげる。

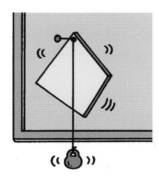

穴はピンの太さより大きくしてゆるゆるにしておく

厚紙とおもりは壁に当たらないようにする

たこ糸の線に合わせて、厚紙に線を引く

③ ②を最低2か所で行い、引いた線が交差するところが重心になるので、そこに穴をあけてつまようじの心棒をさす。

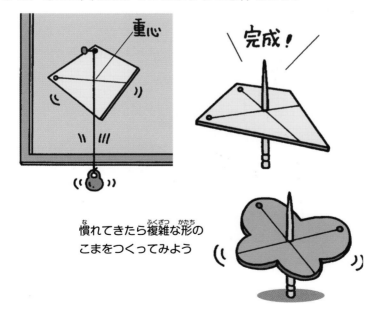

重心

完成！

慣れてきたら複雑な形のこまをつくってみよう

マクスウェルのこま

斜めになったまままわる不思議なこまだよ。なぜ倒れないのか考えてみよう。

用意するもの

つまようじ
(竹串)

ビニールテープ

プリンやヨーグルトのカップ、
植木鉢の水受け皿など

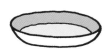

家具などの床保護用フェルトシール
(100円ショップなどにあるよ)

つくり方

① カップの真ん中に穴をあけ、心棒の支え用にフェルトシールをはりつける。

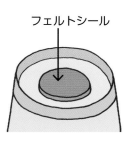

フェルトシール

116

② 心棒を穴にさし、カップのふちにビニールテープを数回巻いて
おもりにする。

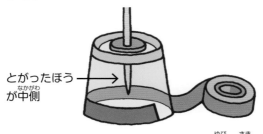

とがったほう
が中側

＊このこまは指の先やペンの先のへ
こんだところなどでまわします。

たのしてみよう

Let's try!

★心棒の足をずらして、長くしたり、
短くすると、どんな動きになるかな?
★針金でうずまきなど、いろいろな形
をつくり、心棒の頭に当ててみよう。
頭を針金がなぞっていくよ。

ピタッ!

重心と心棒の足先が
ぴったり合うと、首振り
運動をしないよ

117

こまの保管

あそんだ後、こまをポケットに入れたままだったり、放り出しておくと、けがにもつながります。自分にもこまにもやさしい、保管のしかたを紹介します。

●こま袋や工具ケース

お弁当用などのきんちゃく袋や工具類を入れるケースに保管。スッキリ片づけられ、持ち運びにも便利です。

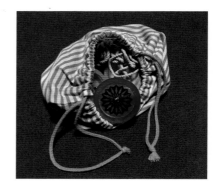

●こまホルダー

キーホルダーのようにぶら下げる「こまホルダー」。身近にある材料をつかって、工夫してつくってみましょう。

オリジナルベーごま
をつくろう

勝負に勝つためにさまざまな改造がされているべーごま。強いべーごまを持つことも、べーごま名人への第一歩です。

●ぬり絵べーごまのつくり方

① べーごまをペットボトルのキャップの上にのせ、下地に白色のマニキュアをぬる。
白をぬっておくと、他の色をぬった時にきれいに色が出る。

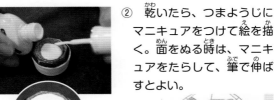

② 乾いたら、つまようじにマニキュアをつけて絵を描く。面をぬる時は、マニキュアをたらして、筆で伸ばすとよい。

でき上がり！

●改造べーごまのつくり方

向かい合う面をけずり、角度をずらしながらけずっていく。

* 「けずる」「まわす」をくり返しながら、中心を出していく。

完成例

●先をとがらせて、まさつをへらす。

●上の角を出して、ひっかかりを強くする。

●背を低くして、ぶつかる位置を低くする。

「日本こままわし協会」紹介

　日本こままわし協会は、全国の子どもたちや指導者に、多くの情報を提供するため、2002年9月に「日本こままわし普及協会」として発足しました。ホームページや年5回の会報など使って各地のこまや会員さんの活動、イベントの情報などを発信しています。

　2016年には「日本こままわし協会」に名前を変えましたが、変わらずこままわしの普及に努めています。各地の会員さんの力も借りながら、「こままわし大会」を続けており、2019年には100回を越える大会を開催してきました。特に初心者へのサポートに力を入れた大会で、こまがまわせない子からも参加でき、まわし方から教えてもらえます。

　また、2014年からは、投げごまの技にこだわる上級者に向け、「段位認定制度」も導入し、年に1回、「こま技選手権大会」の開催もしています。

　日本こままわし協会が開発に監修し、2016年に新たに誕生した協会認定こま「ツバメ」は初心者はもちろん、上級者にも扱いやすく、技の進化も止まりません。

　会員も随時募集しています。こままわしに興味のある方はだれでも入会できます。一度ホームページも見てください。

日本こままわし協会ホームページ
http://yantya.yokochou.com/

めざせ！
こままわしの達人

この本を読んでいろいろな技ができるようになったら、日本こままわし協会が開催している「こま技検定」にチャレンジしてみよう。できる技によって級が分かれているので、はじめての人はまずは10級に挑戦して、どんどんむずかしい技をクリアしていってね。

級位認定項目（10級〜1級）

級位	技項目	補足
10級	こまがまわせる◆	10秒以上地面でまわること
9級	犬のさんぽ（移動距離30cm）◆	ひもでこまを引きずる。ひものかけ方はどのような形でもOK
8級	まと入れ（まとの直径30cm）◆	まとの外から弾んでまとに入る、入ったけれど弾んでまとから出るなどはNG。こまを投げて直接まとの中でまわること
7級	線香花火（3秒）	別名「あさがお」近年では「線香花火」と呼ばれることが多い
6級	ひもかけ手のせ◆	「ひもかけ手のせ」「かつおの一本釣り」など。ひもをこまにかけて引き上げ手の上でまわす技ならOK
5級	どじょうすくい◆	「どじょうすくい」「カモーン」など。ゆびでこまを持ち上げ手の上にのせる技ならOK
4級	日本一周◆	ひもで引っかけ空中に浮かせた地点から自分の周りを1周以上まわすこと
3級	メリーゴーランド（3周）◆	地面からスタートし、地面に戻す形でOK（もちろん手にのせてもOK）
2級	はつもうで（2拍）◆	6級「ひもかけ手のせ」、5級「どじょうすくい」からのスタートでOK
1級	空中手のせ◆	「つばめ返し」「ひばり返し」など。こまを空中でそのまま手にのせる技ならOK

段位認定項目（初段〜6段）

初段	つばめ返し◆
	ひばり返し◆
	まと入れ（15cm）◆
	フォークボール◆
	お手玉（5回）◆

2段	つなわたり◆
	スタンダップ◆
	リフティング◆
	同時2個まわし
	ひものせ◆

3段	ツイスト往復
	つなわたり往復◆
	ゆびのせ
	トランポリン（3回）
	こしかけ◆
	大車輪◆
	初日の出（3秒静止）

4段	股かけ◆
	かざぐるま
	燈籠◆
	竜巻
	へび（3周）◆
	うずしお（3セット）◆
	なわとび（3回）

5段	うぐいす◆
	足かけ◆
	耳かけ◆
	はやぶさ返し
	鯉の滝登り
	地獄車（3周）
	空中大車輪◆
	燕尾返し
	両手へび（5周）◆
	むち（3回）◆

6段	砂時計
	かまいたち（5セット）◆
	牛若丸（往復）
	夜叉車
	忍者◆
	同時2個空中手のせ
	白刃取り
	ちょんがけ足抜き（5回）
	背面むち
	くさりがま（3周かけ）◆

※ 1つの技が3回中1回成功すれば合格。すべての技を成功させるとその段位が合格となります。

※ 既存の技でも、内容が変化しているものもあります。

※ ◆は、この本で紹介しています。

※ 日本こままわし協会のこま技段位認定の検定は、協会会員になればだれでも受けることができます。

日本独楽博物館に行ってみよう

おっちゃんが待っているよ

日本各地のこまはもちろん、海外の60数か国のこまが4万点以上展示されています。こま以外にも、昭和初期から40年代を中心として、江戸時代から現代までのおもちゃや子どもの生活用品が並べられていて、大きなおもちゃ箱の中にいるような気持ちになります。おっちゃんやスタッフがいる時には、こまの技や伝承あそびを教えてくれます。

世界各国のこまのほかに、色とりどりの昔あそびのおもちゃがてんじょうまでぎっしり。こまがまわせるスペースもあるので、学校帰りや休日には未来のこま名人たちがやってきます。

おっちゃんプロフィール

藤田由仁さん

日本独楽博物館の館長であり、日本こままわし協会を立ち上げ、全国をまわってこまあそびを広げる活動をしています。こままわしの名人「こまのおっちゃん」として、多くの子どもたちにこまあそびのおもしろさを伝えています。

【所在地】〒455−0047
愛知県名古屋市港区中之島通4丁目7の2
【電話】052-661-3671
★休館日は不定です。行く前に電話で確認しましょう。
【入館料】無料　【URL】http://www.wa.commufa.jp/~koma/

本書は、2020年3～4月に小社より刊行された『はじめてのこままわし』
『こままわし名人になろう』『こま博士になろう』を再構成したものです。

【著者紹介】

日本こままわし協会 （にほんこままわしきょうかい）

2002年9月、「日本こままわし普及協会」として発足し、ウェブサイトや年5回の会報などで各地のこまや会員の活動、イベント情報などを発信する。2016年に「日本こままわし協会」へ名称変更後もこままわしの普及に努めている。主催する「こままわし大会」は2019年に100回を越えた。

日本こままわし協会会長　日本独楽博物館館長

藤田由仁 （ふじた・よしひと）

「こまのおっちゃん」の愛称で親しまれ、300種以上もあるこまの技や伝承あそびを普及するため日本各地を巡演。10数か国の海外公演もおこなっている。

制作協力●
赤坂幸太郎／新垣太郎／鬼頭諒太／島村純／鈴木翔心／谷直柔・幹太／照屋礼／中津雄太朗／長谷川仁菫／比嘉大貴／古川元気／古塚尚人／町田朋香・史香／山瀬圭・琢磨・竜之介・千福／吉田直弘
赤坂和広／岡本豊／金坂尚人／上玉利大樹／長谷川貴彦／日高明宏／古井将昭／宮下直毅／門間洋子
赤羽ベーゴマクラブ／綾瀬児童館／こどもの家みなみクラブ／知多おやこ劇場／中野スキルトイクラブ

協力●市川昌吾／武田勉／渡邉有希乃
画像提供●日本独楽博物館／片野田斉
撮影協力●喜多英人
編集協力●内田直子
イラスト●種田瑞子
本文DTP●渡辺美知子デザイン室
　　（協力）志賀友美

まるごとこままわし教室

2020年11月3日　第1刷発行
2022年11月30日　第2刷発行

著　者●日本こままわし協会©
発行人●新沼光太郎
発行所●株式会社いかだ社
〒102-0072　東京都千代田区飯田橋2-4-10　加島ビル
Tel.03-3234-5365　Fax.03-3234-5308
E-mail info@ikadasha.jp
ホームページURL http://www.ikadasha.jp/
振替・00130-2-572993

印刷・製本　モリモト印刷株式会社
乱丁・落丁の場合はお取り換えいたします。
Printed in Japan
ISBN978-4-87051-532-1